L'ART
EN
POCHE

APPRENDRE À LIRE
LES IMAGES

SUSAN
WOODFORD

APPRENDRE À LIRE
LES IMAGES

Flammarion

INTRODUCTION

Savoir lire les images : cette expérience peut se révéler plaisante, émouvante ou palpitante. Parfois, il suffit d'un coup d'œil pour apprécier l'image à sa juste valeur. Parfois – et c'est plus gratifiant – elle demande à être scrutée en profondeur avant de livrer ses secrets.

Cet ouvrage entend aborder son sujet par divers biais : les thèmes prisés des artistes et les traitements étonnamment divers auxquels ils se prêtent, les obstacles techniques et la façon de les résoudre ou de les contourner, voire le sens caché d'une image ou ses clins d'œil.

S'il arrive qu'une image nous captive au premier regard, l'analyse aide à saisir en quoi elle nous donne satisfaction, quelle alliance entre formes et couleurs aboutit à l'effet désiré. D'autres images, difformes ou laides en apparence, produisent un choc émotionnel inattendu... mais, là encore, il faut les ausculter de près pour mieux les apprécier.

Notre ouvrage s'appuie sur un vaste échantillon d'œuvres, étayées de légendes utiles, propres à susciter les idées et à améliorer notre compréhension. Cet outil aidera le lecteur à sortir de la contemplation passive pour acquérir un regard vif et perspicace.

DE L'ART DU DÉCRYPTAGE

-

Aborder l'image sous différents angles,
c'est voir émerger de nouvelles perspectives.

-

Il y a de nombreuses façons d'observer une image. Quatre d'entre elles ont été sélectionnées pour ce chapitre. Elles se distinguent par leur style et par leur époque, nous invitant à varier notre regard.

À QUOI SERVAIT L'IMAGE ?

Première étape : interrogeons-nous sur la fonction de l'image (ci-dessous). Cette peinture rupestre d'un bison, réaliste, haute en couleur, a été exécutée il y a quinze mille ans environ sur le plafond d'une caverne située dans l'actuelle Espagne. À quoi servait-elle, cette belle image vive, puisqu'elle ornait un renfoncement obscur, à une certaine distance de l'entrée ? D'aucuns ont suggéré qu'elle faisait office de rituel magique, censé permettre au créateur (ou à sa tribu) de prendre au piège l'animal dépeint. La même idée apparaît dans la religion vaudoue, où il suffit, dit-on, de planter une épingle dans une poupée façonnée à l'effigie de tel ou telle pour blesser la personne. Peut-être le peintre espérait-il qu'en captant l'image du bison, il se donnerait les moyens de capturer l'animal.

Artiste préhistorique
Peinture rupestre
d'un bison
Altamira (Espagne)
15 000-10 000 av. J.-C.
Pigments d'ocre
et de charbon

On s'est souvent interrogé sur la fonction de ces peintures. Une des théories proposées est que peut-être le peintre, en captant l'image du bison, espérait qu'il pourrait aisément capturer l'animal.

École byzantine
*La Résurrection
de Lazare*, VIᵉ siècle
Mosaïque
Ravenne, basilique
Sant'Apollinare Nuovo

Ce type d'illustration,
clair et sans équivoque,
permettait à l'Église
des premiers chrétiens
d'expliquer les
Évangiles à un public en
majorité analphabète.

Ci-dessus, une seconde image, fort différente : une mosaïque,
ornant une église des premiers temps du christianisme. Il est facile
d'identifier son sujet, la résurrection de Lazare. Selon l'Évangile
de saint Jean, ce dernier est mort et enseveli depuis quatre jours
lorsque arrive le Christ. Celui-ci fait pourtant ouvrir le tombeau, puis
il lève les yeux vers le Ciel et dit :

« Père […] c'est à cause de la foule qui m'entoure que j'ai parlé,
afin qu'ils croient que tu m'as envoyé. » Enfin, il s'écrie d'une voix
forte : « Lazare, viens dehors ! » Et le mort de sortir, les mains et
les pieds encore enveloppés de linges funéraires (Jean 11, 41-44).

Cette image est une illustration d'une admirable clarté : on voit
de fait Lazare, pieds et mains emmaillotés, sortir du tombeau où
il était enseveli. Jésus, vêtu de la pourpre royale, l'appelle d'un
geste impérieux. À ses côtés, parmi son « entourage » (pour qui
Jésus accomplit ce miracle), un homme exprime son étonnement
en levant la main. L'image, aux figures plates dont le contour
se détache sur fond doré, présente une composition très simple.
Contrairement au bison, elle n'est pas haute en couleur, mais sert
d'indice à ceux qui connaissent déjà l'histoire.

À quoi servait cette image, intégrée à un décor d'église ? Au
VIᵉ siècle, époque à laquelle est exécutée cette mosaïque, seul
un petit nombre sait lire. Or l'Église tient à communiquer aux foules
le message des Évangiles. « Les images apportent aux illettrés
ce que l'écriture apporte à ceux qui savent lire », disait le pape
Grégoire le Grand. Il devient possible d'apprendre l'Histoire sainte
en observant les illustrations de ce type, faciles à saisir.

-
Jalousie et Duperie, comme le Plaisir, vont parfois de pair avec l'Amour.
-

À présent, regardez la page ci-contre : on y voit une toile peinte
à l'huile, œuvre d'un artiste raffiné du XVIᵉ siècle, le Bronzino. Vénus,
déesse païenne de l'amour, s'y soumet à l'étreinte quasi érotique
de son fils, le jeune Cupidon, peint avec des ailes. À la droite de
ce groupe, un petit garçon souriant incarne (peut-être) le Plaisir.
Derrière lui, une étrange jeune fille vêtue de vert, dont le corps,
détail surprenant, émerge de sa robe sous la forme d'anneaux
reptiliens. Sans doute figure-t-elle la Duperie, un vilain défaut :
belle de visage, mais laide sous la surface, elle est souvent
associée à l'Amour. À la gauche du groupe, une vieille sorcière
en fureur s'arrache les cheveux. C'est la Jalousie, combinant envie
et désespoir, qui forme elle aussi un pendant de l'Amour.

Au sommet, nous voyons deux figures soulever un rideau qui
apparemment masquait la scène. L'homme est le Temps : il porte
des ailes et, sur son épaule, un sablier emblématique. C'est lui
qui rend visible tout ce qui finit par contrarier l'amour charnel (ici
dépeint). La femme qui lui fait face sur la gauche serait la Vérité :
elle dévoile l'amalgame complexe de joies et de terreurs que l'on
ne peut dissocier du don de Vénus. L'image épelle dès lors
une maxime morale : Jalousie et Duperie, comme le Plaisir, vont
parfois de pair avec l'Amour. Toutefois, cette morale n'est pas
communiquée avec la simplicité immédiate de l'épisode biblique
(la résurrection de Lazare, p. 11). Elle prend l'aspect d'une allégorie
aussi complexe qu'obscure, fondée sur le procédé dit
de « personnification ». Son but n'est pas de conter aux illettrés
une histoire censée les éclairer, mais d'intriguer, voire (jusqu'à un
certain point) de taquiner son public, lui-même des plus cultivés.
Ce tableau a été réalisé pour le grand-duc de Toscane, qui en a fait
don à François Iᵉʳ, roi de France (voir p. 36-37). Il s'agit donc d'une
image destinée à distraire et à édifier une élite sociale et culturelle.

**Bronzino (Agnolo di
Cosimo Torri, dit le)**
*Allégorie avec Vénus
et Cupidon*, v. 1545
Huile sur bois, 146 × 116 cm
Londres, National Gallery

**Cette toile allégorique
complexe a pour but
d'édifier en touchant les
sens d'une élite cultivée.**

Pour finir, observons l'image ci-dessus, plus récente : c'est une œuvre du peintre américain Jackson Pollock. Elle n'évoque en rien le monde ordinaire : pas de bison à piéger, ni de mythe à relayer, ni d'allégorie subtile à démêler. Au lieu de cela, elle archive le geste du peintre projetant ses couleurs sur l'immense toile pour créer ce schéma abstrait, mais animé, palpitant. À quoi peut servir une telle œuvre ? Elle entend faire voir l'activité créative et l'énergie purement physique de l'artiste, révéler son corps et son esprit en pleine action, une fois qu'il se « met à l'œuvre », à savoir qu'il produit un tableau.

LE CONTEXTE CULTUREL

Deuxième façon de décrypter l'image : nous demander ce qu'elle manifeste de la culture qui l'a vue naître. Ainsi, la peinture rupestre (p. 10) a quelque chose à nous dire, quoique obscure, sur les hommes préhistoriques, ces nomades qui se réfugiaient parfois dans des grottes, mais qui chassaient les bêtes sauvages sans édifier de foyer permanent ni cultiver les champs.

La mosaïque chrétienne du VIe siècle (p. 11) reflète une culture paternaliste, selon laquelle il revient à une élite éclairée d'instruire les masses illettrées. Elle nous dit que pour ces premiers chrétiens, il importe de transmettre l'Histoire sainte au peuple aussi clairement que possible, afin qu'il se pénètre de cette religion encore neuve.

L'allégorie du Bronzino (p. 13) en a long à dire sur un milieu aristocratique, raffiné d'esprit et de mœurs, un peu blasé peut-être, qui raffole des énigmes et met l'art au service de ses jeux d'esprit.

Jackson Pollock
Rythme d'automne (numéro 30), 1950
Émail sur toile,
267 × 526 cm
New York, Metropolitan
Museum of Art

Si la technique *pour-and-drip* de Pollock (laisser couler ou s'égoutter la peinture sur la toile au sol) a d'abord scandalisé, cette pratique de l'Action Painting vaudra à New York d'être le nouveau centre de l'avant-garde.

Le tableau du xxᵉ siècle (sur la page en regard) offre un aperçu d'une autre époque, portant aux nues la vision personnelle de l'artiste et le caractère unique de sa performance. Cette époque récuse, semble-t-il, les valeurs traditionnelles de la classe dominante ; elle encourage les artistes à s'exprimer en toute liberté et en toute originalité.

-

Faire en sorte que l'image soit réaliste et convaincante soulève des problèmes fascinants. Des générations d'artistes ont mobilisé leur énergie et leur imaginaire afin de les résoudre.

-

LA VRAISEMBLANCE

Troisième question, pour qui veut décrypter l'image : est-elle réaliste ? L'illusion du naturel est un enjeu crucial et stimulant pour de nombreux artistes, notamment au cours de l'Antiquité classique (600 av. J.-C.-v. 300), puis de la Renaissance (qui commence au xvᵉ siècle) au début du xxᵉ siècle.

Faire en sorte que l'image soit réaliste et convaincante soulève des problèmes fascinants. Des générations d'artistes ont mobilisé leur énergie et leur imaginaire afin de les résoudre. Toutefois, cette préoccupation n'est pas toujours la première qu'ils ont en tête. Souvent, rien ne sert d'imposer à l'image nos critères de précision naturaliste, car ils ne correspondent pas aux visées de l'artiste. Si l'artisan médiéval voit avant tout dans sa mosaïque une façon intense de conter un épisode biblique (p. 10), il ne donnera pas à ses figures le potelé naturel d'un Bronzino (p. 13) : il fera en sorte que le public identifie d'emblée le Christ et Lazare, ses figures principales, en plaçant au centre de l'image le geste clé du Christ, isolé sur fond doré. L'artiste cherche surtout à être clair, fuyant jusqu'au moindre soupçon d'ambiguïté ; pour lui, ce que nous appelons « apparence naturelle » est complexe, facteur de confusion, voire source de distraction.

De même, rien ne sert de juger l'auteur moderne de *Rythme d'automne* (ci-contre), qui cherche à s'exprimer si vivement en peinture, à l'aune de la ressemblance naturelle. Il entend dévoiler une partie de ses sentiments, et non reproduire un environnement visuel.

Enfin, si nous pouvons certes nous demander à quel point une image reflète la réalité, il est des cas où la question, tout bonnement, ne se pose pas.

COMPOSITION ET STRUCTURE

Quatrième façon d'aborder l'image : l'envisager sous l'angle de
la composition. Comment l'artiste emploie-t-il formes et couleurs
pour générer des schémas au sein de l'œuvre ? Si nous observons
sous ce prisme l'*Allégorie* du Bronzino (p. 13), il apparaît que le
groupe central, Vénus et Cupidon, forme un « L » aux tons clairs,
reflétant l'angle du cadre. Notons ensuite que le peintre a restauré
un certain équilibre en flanquant ce premier groupe d'un second,
cette fois un L à l'envers, formé par le petit garçon qui incarne
le Plaisir et par la tête et le bras du vieux Temps. Ces deux L
ébauchent un rectangle qui ancre solidement l'image dans
son cadre, de manière à stabiliser une composition en soi
hautement complexe.

–

**Formes et couleurs servent à générer
des schémas au sein de l'image.**

–

À présent, concentrons-nous sur d'autres aspects de cette
image. Nous pouvons voir que l'espace est saturé d'objets
ou de figures : le regard ne trouve aucun espace vacant où se
poser. Ce mouvement perpétuel des formes, d'un bout à l'autre
du tableau, nous réfère au sujet et au ton de l'œuvre dans son
entier : l'agitation mentale et l'absence d'épiphanie. Amour,
Plaisir, Jalousie et Duperie forment un tout enchevêtré, un schéma
intriqué sur le plan formel et intellectuel.

L'artiste a peint ses figures au moyen d'un tracé froid et dur,
de surfaces lisses et arrondies. On les dirait presque de marbre.
Dureté et froideur sont encore rehaussées par la palette : celle-ci
se décline quasi exclusivement en bleus pâles et en blancs neigeux,
avec des touches de vert et de bleu foncé. (Une seule couleur
chaude : le rouge du coussin sur lequel est agenouillé Cupidon.)
Ces sensations offrent un contraste absolu avec celles que nous
associons d'ordinaire à l'activité sensuelle, au centre de l'image.
Ce parti pris permet au Bronzino de montrer un geste d'amour ou
de passion, généralement tendre ou ardent, comme étant froid
et calculateur. L'analyse formelle d'une composition nous aide
souvent à approfondir sa signification, à pénétrer certaines
des techniques utilisées par l'artiste pour atteindre l'effet voulu.

PARLONS IMAGES

Dans les douze sections qui suivent, nous allons observer des images créées à différentes époques et dans divers lieux. Dans un premier temps, nous nous pencherons sur leur sujet, avant de détailler leur aspect formel, leur composition, qu'il n'est pas toujours facile d'apprécier au premier coup d'œil. Chemin faisant, nous serons confrontés à des structures – parfois inattendues – occupant une catégorie intermédiaire entre « contenu » et « forme », mais qui se révéleront cruciales pour mieux saisir l'image.

Nous laisserons de côté le rapport qui lie ces images à la société qui les produit, de même que leur ordre chronologique. Il existe déjà toute une gamme d'ouvrages excellents en histoire de l'art, aptes à remettre une œuvre en contexte ou à retracer l'évolution d'un style entre deux périodes.

Surtout, car c'est là l'essentiel, nous ne nous bornerons pas à observer ces images : nous parlerons d'elles. Si étrange que cela puisse paraître, le regard seul ne suffit pas. Trouver des mots qui sachent décrire et penser l'image, voilà souvent la seule façon de progresser, de la contemplation passive à l'acuité visuelle.

QUESTIONS À SE POSER

Les images ont-elles toujours une raison d'être ?

L'art doit-il forcément refléter la culture qui l'a vu naître ?

Est-il crucial qu'une image « colle » à la réalité ?

Comment l'artiste a-t-il disposé ses formes et ses couleurs
  pour réaliser une œuvre efficace ?

TERRE ET MER

-

Le monde qui nous entoure est une
source constante d'inspiration.

-

Le paysage a parfois autant d'attrait pour un peintre que pour un passionné de la nature. Certains artistes se sont spécialisés dans les études de paysage ; d'autres se sont tournés à l'occasion vers la nature, afin de se ressourcer l'âme et le regard.

DÉPEINDRE SON ENVIRONNEMENT

Beaucoup ont à cœur de comparer l'œuvre avec les créations naturelles. L'image, outre la satisfaction visuelle qu'elle apporte, révèle alors sans bruit notre place dans la nature. C'est le cas, par exemple, du tableau de Constable figurant la cathédrale de Salisbury (ci-dessous).

Ce magnifique édifice est en partie caché par les grands arbres feuillus du premier plan. Du bétail flâne paisiblement : certaines bêtes disparaissent à moitié dans l'ombre, d'autres se détachent en plein soleil. Celui-ci illumine la cathédrale dans toute sa splendeur. La flèche qui s'élève dans les cieux et la longue ligne horizontale du toit résument le tracé de l'édifice, mais l'abondance de détails – les grands vitraux, assortis en paires ou rassemblés sous une arche, les pignons triangulaires flanqués de pinacles

John Constable
La Cathédrale de Salisbury vue de la propriété de l'évêque,
v. 1825
Huile sur toile, 88 × 112 cm
New York, Metropolitan Museum of Art

Avec élégance, Constable oppose la géométrie calculée de la cathédrale, œuvre humaine, à la spontanéité naturelle des arbres qui dominent le premier plan.

Vincent van Gogh
*L'Église d'Auvers-
sur-Oise*, 1890
Huile sur toile,
94 × 74 cm
Paris, musée d'Orsay

Avec sa palette
éclatante et son coup
de pinceau vigoureux,
Van Gogh donne de
cette église une vision
qui palpite de vie.

et les murs de hauteur variée – contribue à notre perception de la cathédrale comme un tout complexe. Quel contraste entre l'architecture réglée de l'édifice et la nature qui l'entoure ! Celle-ci se montre libre, protéiforme, indisciplinée. Dans ce contexte, les humains paraissent très petits, y compris l'évêque, commanditaire du tableau, qui figure en compagnie de son épouse dans le coin inférieur gauche.

L'artiste hollandais Van Gogh, qui a travaillé en France pendant les dernières années de sa vie, peint l'église d'Auvers (p. 21) quelque soixante-cinq ans après celui de Constable, en 1890. L'image qu'il produit est en soi très différente de la vision sereine de Constable (p. 20). L'église elle-même semble aussi remplie de vie et d'activité que les rives herbues du premier plan. La vitalité des coups de pinceau – larges souvent, puissants et autonomes, générant à eux seuls schémas et textures – énergise le ciel et le chemin, tout comme l'église et ses environs immédiats.

Les attentes créées par le tableau de Constable ne seront pas déçues par une visite à Salisbury. En revanche, l'église d'Auvers n'offrira aucun équivalent à l'intensité visuelle qui émane de l'image de Van Gogh. L'édifice lui-même, à l'instar des autres églises, est massif, stable et de forme régulière. C'est Van Gogh qui, puisant dans sa vision personnelle, l'a intégré à son paysage mental.

Le paysage onirique de Dalí (ci-contre), peint au XXᵉ siècle, est fortement improbable vu dans son ensemble. Mais il se compose d'éléments qui, quoique difformes, ont un air troublant de réalité.

-

Chacune de ces montres « molles », déplaisantes au regard, acquiert un sens différent selon le contexte.

-

Contre toute attente, un paysage de mer, de falaise et de plaine, est peuplé d'éléments monstrueux au contour net et sans douceur : la dalle luisante qui jouxte la mer, ou encore, au premier plan, l'énorme boîte aux allures de cercueil, d'où un arbre mort surgit sous notre regard perplexe. Chacune des trois montres « molles », déplaisantes au regard, acquiert un sens différent selon le contexte. L'une pend tel un cadavre à une branche d'arbre, une autre évoque la selle d'un cheval mort depuis longtemps, qui pourrirait dans une étendue infiniment vide de temps et d'espace. Une troisième semble avoir fondu sous une chaleur incandescente : elle adhère encore en partie à la boîte rectangulaire sur laquelle elle repose, tandis qu'une mouche solitaire s'est posée à sa surface.

Salvador Dalí
*La Persistance
de la mémoire*, 1931
Huile sur toile,
24 × 33 cm
New York, Museum
of Modern Art

**Ici, Dalí exploite un
réalisme minutieux
pour montrer des
éléments étrangement
difformes. Il entend
produire une image
perturbante, celle
d'un paysage désert
et désolé.**

La seule montre restée intacte et solide est rouge et de forme ovoïde ; elle est encore dans son étui. À première vue, elle semble ornée d'un délicat motif noir. À y regarder de près, toutefois, on remarque qu'un groupe de fourmis dévoreuses a jeté son dévolu sur elle. Avec la mouche voisine, ce sont les seules créatures vivantes figurant sur cette toile. Indices de permanence et signes de déliquescence se partagent une représentation méticuleuse et réaliste, bien que son objet soit irréel et impossible. L'ensemble forme un tout cauchemardesque, mais plausible. Grand maître du mouvement dit « surréalisme », Dalí réussit à créer des paysages envoûtants, très différents de ce à quoi nous pourrions nous attendre.

Simon De Vlieger
Navire de guerre et différents vaisseaux dans la brise, v. 1642
Huile sur bois,
41 × 54,5 cm
Londres, National Gallery

La verticale affirmée de ces navires ombrageux, voile au vent, parcourant la surface horizontale d'une mer un peu agitée évoque la puissance et la stabilité de la flotte hollandaise.

RENCONTRES AVEC LA MER

Au XVIIᵉ siècle, les Hollandais figurent parmi les meilleurs marins du monde : aussi prisent-ils les tableaux représentant mer et navires. Même lorsqu'il peint de simples navires voguant sous la brise (ci-dessus), Simon De Vlieger réussit à traduire l'immensité de la mer et sa dangereuse turbulence, ainsi que la beauté téméraire des vaisseaux qui la parcourent. Un ciel immense se déploie à l'arrière-plan du navire de guerre qui, voiles en poupe et fanions au vent, vogue audacieusement sous la brise en quête d'aventures lointaines.

-

L'eau étincelante, la brume qui se dissout lentement au petit matin et les petits bateaux branlant sans héroïsme à la surface brillante de la mer.

-

Claude Monet
Impression, soleil levant,
1872-1873
Huile sur toile,
49,5 × 65 cm
Paris, musée
Marmottan-Monet

Contrairement aux tons feutrés de De Vlieger, Monet use d'une palette vibrante pour montrer le jeu de lumière sur une mer calme, à l'aube.

Monet, lui, est charmé par l'eau étincelante, la brume qui se dissout lentement au petit matin et les petits bateaux branlant sans héroïsme à la surface brillante de la mer (ci-dessous). Il offre une vue intime et familière de la mer, qu'il connaît bien, car il a passé son enfance au Havre. Il est intrigué par les ricochets de la lumière sur l'eau et travaille d'arrache-pied pour élaborer une technique susceptible de capter cet effet.

Beaucoup s'accordent à dire que dans ce tableau, qu'il intitule Impression, soleil levant, Monet a su faire montre d'un talent exceptionnel pour rendre la lumière indistincte de l'aube naissant

au-dessus des flots. Or lorsque ce tableau est exposé en 1874,
il ne fait pas l'unanimité. Il n'a ni fini lisse, ni formes nettes, et les
critiques stigmatisent la façon brouillonne dont terre, mer et ciel
se dissipent dans la lumière. L'un d'eux, décidé à railler ce tableau
et ses pairs, qualifie d'« impressionnisme » le nouveau mouvement
auquel appartient Monet : il prend ce tableau et son titre pour cible
de son ironie.

C'est peut-être d'autant plus surprenant que, plus tôt dans
le xixe siècle, Turner a déjà réalisé de brillantes études de tempêtes
en mer, où la forme disparaît tout entière dans le fracas des vagues
et le tourbillon des nuages. *Tempête de neige : bateau au large
d'un port* (ci-dessous), qu'il peint en 1842, montre avec quelle
efficacité Turner peut dépeindre mer et navires, comme dissous
et réduits à l'abstrait par des masses de couleur déferlantes.

Les tableaux de Turner sont si puissants, les moyens grâce
auxquels il dépeint orages et rouleaux si assurés, que l'on est tenté
de se dire que lui seul peut exprimer en peinture le chaos d'une
tempête.

Mais ce n'est pas le cas. En utilisant des moyens radicalement
opposés (contours fermes, formes exactement définies), l'artiste
japonais Hokusai a su, de manière époustouflante, restituer la

J.M.W. Turner
*Tempête de neige :
bateau au large
d'un port*, 1842
Huile sur toile,
91,4 × 122 cm
Londres, Tate Gallery

**Turner ressaisit le
chaos de la tempête
par le biais de
masses colorées
tourbillonnantes, qui
cachent et brouillent
la silhouette du navire
pris dans la tourmente.**

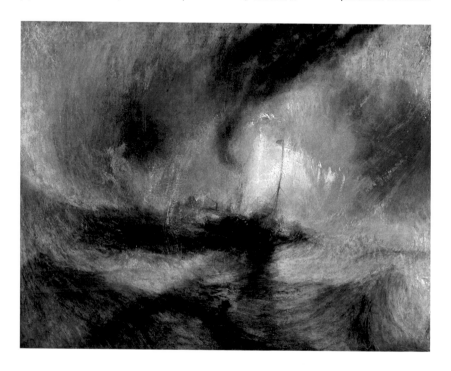

Katsushika Hokusai
La Grande Vague de Kanagawa, 1830-1832
Estampe en couleur,
25,7 × 38 cm
New York, Metropolitan
Museum of Art

Grâce à la clarté et à la précision de son trait, Hokusai exprime avec panache la puissance solennelle d'une immense vague terrifiante.

splendeur terrible d'une lame de fond (ci-dessus). Cette estampe appartient à une série de vues du mont Fuji ; on aperçoit un peu à droite du centre ce pic volcanique en forme de cône, coiffé de neige.

-

Il faut un certain temps pour traquer tous les détails, notamment les vaisseaux en plein naufrage et les hommes qui se débattent.

-

Ce qui capte d'abord notre attention, c'est la vague gigantesque qui s'élève à gauche et se recourbe avant de se fracasser. Le tourbillon d'écume se dissout dans une myriade de petites griffes, dont chacune reçoit un tracé net. La grande houle marine se révèle par le biais de motifs en pointe de couleur blanche. La composition tout entière est l'image vive d'une mer orageuse et, simultanément, elle constitue un motif décoratif d'un charme si puissant qu'il faut un certain temps pour traquer tous les détails, notamment les vaisseaux en plein naufrage et les hommes qui se débattent.

Francesco Guardi
Santa Maria della Salute, v. 1770
Huile sur toile,
50,5 × 41 cm
Édimbourg, National Gallery of Scotland

Cette église élégante préside avec majesté une scène d'activités maritimes à Venise, reine de la mer.

Enfin, voici une marine quelque peu différente : une vue de Venise au XVIIIᵉ siècle (ci-contre). Cette ville remarquable a été construite sur la mer. Ici, Guardi capte les reflets étincelants qui miroitent sur l'eau avec autant de bonheur que Monet (p. 25), mais à sa manière : il choisit de figurer le moment où le soleil, au zénith, inonde la scène de sa lumière éblouissante.

Le sujet principal du tableau est la basilique Santa Maria della Salute, qui domine la scène avec autant de majesté que la cathédrale de Salisbury peinte par Constable (p. 20). Elle est massive et solide, mais, habilement, Guardi a déployé au-dessus d'elle un ciel vaste et brillant. Il a rehaussé l'édifice de couleurs pâles mais lumineuses, au point qu'il semble à la fois enraciné et flottant sereinement entre ciel et mer.

Là encore, comme dans le tableau de Constable, l'édifice religieux diminue la taille des hommes debout devant lui. Cette fois, il ne s'agit pas d'un couple d'Anglais statiques mais d'Italiens animés, qui parcourent sans répit le lagon ou gesticulent sur le front de mer, sans doute pris dans des tractations mercantiles (Venise était une cité vouée au commerce). Si la toile de Guardi se veut la simple vue d'un quartier de Venise au charme particulier, elle n'en présente pas moins un contraste piquant entre la stabilité béatifique de l'église et le fourmillement anxieux des humains pour qui elle a été construite.

QUESTIONS À SE POSER

L'artiste a-t-il observé son sujet de près ou à distance ?

Le paysage comporte-t-il des figures humaines ou des structures créées par l'homme ?

Comment l'artiste reproduit-il les effets visuels de l'eau dans une marine ?

Dépeint-il un environnement amical ou hostile ?

La présence d'une figure humaine suffit-elle à déterminer l'échelle de la scène ?

PORTRAITS

-

Les portraits peuvent révéler beaucoup plus que le simple aspect d'un individu ou d'un groupe.

-

Depuis de nombreux siècles, les artistes ont gagné leur vie en peignant des portraits – c'est encore le cas de nos jours. Ces portraits sont prisés pour deux raisons : leurs sujets aiment à voir leurs traits reproduits pour la postérité ; les spectateurs aiment découvrir à quoi ressemblaient les gens autrefois.

PORTRAITS DE GROUPES

Un portrait n'est pas forcément celui d'un individu : il existe des portraits de groupe. Aux XVIᵉ et XVIIᵉ siècles, les Hollandais, qui collaboraient ensemble d'une façon ou d'une autre – par exemple les gouverneurs d'une institution charitable, les conseillers municipaux ou les membres d'une guilde de chirurgiens –, commanditaient des portraits de groupe.

Les plus anciens de ces tableaux figurent des compagnies de gardes municipaux. Un exemple typique serait ce tableau de Cornelis Anthonisz, réalisé en 1553 (ci-contre, en haut). Chaque membre de la Garde y va de sa poche pour rétribuer l'artiste ; chacun s'attend en retour à être dépeint nettement et fidèlement. Le peintre a donc pris soin de représenter distinctement chaque individu et de les traiter à la même enseigne, selon les termes de son contrat. Toutefois, le résultat n'est guère enthousiasmant. On dirait, à tout prendre, la traditionnelle « photo de classe » où tout le monde est aligné par rang : un assortiment de visages solennels, fondus dans un certain anonymat du simple fait qu'ils sont nombreux. Les portraits de groupe se poursuivront au cours du XVIIᵉ siècle en Hollande, mais les artistes préféreront produire des tableaux intéressants en soi et non pour le bénéfice de leurs clients.

Nul parmi eux n'est spécifiquement flatté, nul ne domine la scène : chacun est dépeint dans ce qui le singularise.

Ainsi, lorsque Frans Hals peint *Le Banquet des officiers de la compagnie de Saint-Georges* en 1616 (ci-contre, en bas), il s'efforce de créer une peinture plus animée, plus intrigante. Au lieu de disposer ses figures de manière statique autour de la table, il les montre unis dans la célébration d'un événement central : le drapeau de la milice, déployé sous leurs yeux. Bien qu'ils aient choisi de se faire peindre dans une ambiance conviviale, ces officiers hollandais se devaient de remplir des obligations militaires sérieuses. Le drapeau lui-même ajoute un éclat de couleur et une

Cornelis Anthonisz
Le Banquet de la garde civique, 1533
Huile sur panneau, 130 × 206 cm
Amsterdam, Musée historique

Une palette sombre de bleus, de bruns et de noirs habille les dix-sept membres de la garde civique. Le peintre a ici pour mission de retracer fidèlement chaque physionomie.

Frans Hals
Le Banquet des officiers de la compagnie de Saint-Georges, 1616
Huile sur toile, 175 × 324 cm
Haarlem, musée Frans Hals

Hals exploite le motif du drapeau déployé pour unifier sa toile et animer une scène par ailleurs statique. Les écharpes des officiers, aux couleurs vives (rouge et blanc), procurent une autre stimulation visuelle.

ligne diagonale vigoureuse à cette composition déjà vivante. Hals a su produire une œuvre autrement plus intéressante que celle d'Anthonisz, mais il n'a pas moins satisfait consciencieusement aux exigences des commanditaires, faisant de chaque membre un portrait très fidèle. Nul parmi eux n'est spécifiquement flatté, nul ne domine la scène : chacun est dépeint dans ce qui le singularise. C'est ce que nous attendons en général d'un portrait : qu'il nous montre exactement ce à quoi ressemblait une personne.

UNE SEULE PERSONNE VUE À TRAVERS DIFFÉRENTS REGARDS

Ces attentes, toutefois, sont peut-être un peu naïves. Observons par exemple deux portraits de la même personne, Maria Portinari (sur ces deux pages). Bien que ces peintures aient été signées par

Hans Memling
Portrait de Maria Portinari, v. 1470
Huile sur bois,
44 × 34 cm
New York, Metropolitan Museum of Art

Memling a scruté le collier de Maria Portinari plus qu'il n'a ausculté la personnalité tapie derrière son visage inexpressif.

Hugo Van der Goes
*Maria Portinari, détail
du Triptyque Portinari,*
v. 1479
Huile sur panneau,
253 × 141 cm
Florence, galerie
des Offices

**Quelques années
seulement après
Memling, Hugo Van
der Goes donne
de Maria Portinari
un portrait moins
charmant peut-
être, mais plus en
profondeur.**

deux artistes flamands, leur exécution est profondément différente.

Le plus ancien (ci-contre) a été réalisé par l'artiste Hans Memling
vers 1470, le plus tardif (ci-dessus) par Hugo Van der Goes vers
1479. Le portrait de Van der Goes fait partie d'un retable, avec
en son centre l'Enfant Jésus adoré par les bergers (p. 88-89).
Les donateurs, ou commanditaires, apparaissent sur les panneaux
latéraux : à gauche, Tommaso Portarini et ses fils ; à droite,
son épouse Maria et ses filles. Ces personnages ont voulu être
commémorés à une échelle plus réduite, mais en posture dévote,
participant à l'adoration de la Sainte Famille. Derrière eux,
les figures agrandies de leurs saints patrons leur tiennent lieu
de sponsors.

En dépeignant Maria Portinari (p. 35), Hugo Van der Goes n'a pas ménagé sa peine : il s'applique au détail, combinant un nombre infini de minuscules coups de pinceau pour tracer le creusé des joues, le nez allongé et l'expression recueillie. Au contraire, sur le portrait de Memling (p. 34), Maria paraît superficielle, presque mondaine : elle n'a plus la profondeur de sentiment ni l'intensité révélées par Van der Goes. Memling lui a pourtant consacré autant d'efforts ; l'exécution de son portrait est tout aussi fine et soignée. Force est de se demander si Memling a flatté son modèle ou si, à l'inverse, Van der Goes a conféré un peu de sa profondeur à une femme plus superficielle de nature. L'un ou l'autre portrait suffit-il à nous montrer ce à quoi ressemblait véritablement Maria Portinari ?

L'aspect réel d'une personne est une chose ; une autre est la façon dont elle voudrait apparaître. Pour les tenants de la vie publique, la seconde prime bien souvent sur la première. On sait à quel point de nos jours les hommes politiques investissent dans leur « image ». Les figures royales d'autrefois n'étaient pas moins

Jean Clouet
François Iᵉʳ, v. 1530
Huile sur panneau,
96 × 74 cm
Paris, musée du Louvre

L'étoffe rouge et luxueuse du fond s'allie aux habits de cour pour souligner la richesse et le prestige du roi de France.

Titien (Tiziano Vecellio, dit)
François Ier, 1539
Huile sur toile,
109 × 89 cm
Paris, musée du Louvre

Titien, très sollicité en raison de son habileté à créer des portraits de monarques imposants, fait voir la puissance et la majesté du roi.

sensibles à cet égard. Dans les portraits royaux, la ressemblance physique ne remplit qu'une partie des attentes : sur son portrait, le roi doit avoir une allure de roi.

Le peintre français Jean Clouet a-t-il su faire passer le message dans son portrait de François Ier (ci-contre) ? Le roi est vêtu très richement et sa présence domine la toile. Mais si on le compare au portrait exécuté par le grand Titien (ci-dessus), quelle infinie différence ! Le port de tête impérieux du monarque, sa majesté, jusqu'à la carrure autoritaire de ses épaules, tout lui confère un aspect héroïque. Alors que Titien a peint son modèle d'après un simple médaillon montrant le roi de profil, sa conception du portrait et son coup de pinceau vigoureux font que l'exécution méticuleuse de Clouet semble minauder en comparaison.

Les rois et les empereurs souhaitaient être peints par Titien. Aux époques suivantes, Rubens et Van Dyck, également capables de donner à leurs modèles royaux une apparence de grandeur naturelle, étaient très recherchés comme peintres de cour.

À gauche :
Pablo Picasso
Ambroise Vollard, 1910
Huile sur toile,
91 × 65 cm
Moscou, musée
Pouchkine

Alors qu'il étudie les
effets esthétiques
du cubisme, Picasso
fait le portrait du
marchand d'art
Ambroise Vollard : il
capte à merveille les
traits essentiels de
ce personnage, dans
ce style *a priori* peu
engageant.

À droite :
Pablo Picasso
Ambroise Vollard, 1915
Mine de plomb sur
papier, 47 × 32 cm
New York, Metropolitan
Museum of Art

Artiste polyvalent,
maîtrisant le dessin,
Picasso donne
quelques années
plus tard un portrait
plus conventionnel
de Vollard.

LE PORTRAIT, ŒUVRE D'ART

Parfois, le portrait est d'abord une œuvre d'art, puis la représentation d'un individu. C'est le cas du portrait réalisé par Picasso (ci-contre) du marchand d'art Ambroise Vollard. À l'époque où il peint ce portrait, en 1910, Picasso est absorbé par les recherches artistiques du style cubiste. Avec certains de ses amis, il suit la piste suggérée par Cézanne, selon laquelle un artiste devrait faire apparaître les cônes, les sphères et autres formes géométriques régissant les apparences naturelles, en allant jusqu'au bout de leur logique, voire plus loin. Ici, nous voyons que non seulement le visage et la silhouette de Vollard sont décomposés en des formes aux angles nets, présentant diverses facettes, mais que ce traitement s'étend à l'espace derrière lui et autour de lui. L'ancienne répartition entre fond et figure est abolie, la surface tout entière de la toile est traitée à la façon d'un tout homogène. Cela confère au tableau une sorte d'unité que l'on trouve rarement dans les œuvres figuratives, mais davantage dans celles qui sont purement abstraites (voir le tableau de Pollock, p. 14). Pour autant, la toile de Picasso relaie une impression forte mais indéfinissable de profondeur, d'espace et même de volume. Ce qui surprend le plus peut-être, c'est la façon engageante dont les traits et la personnalité de Vollard ressortent du fatras de formes brisées et déchiquetées.

Cinq ans plus tard, Picasso réalise un autre portrait de Vollard (p. 39). Fond et figure sont clairement distincts. L'homme, son siège, ses vêtements, son environnement, tout est représenté sans équivoque, et pourtant on se demande si sa personnalité apparaît de manière plus tranchée que sur le précédent portrait de style cubiste (p. 38).

PORTRAITS D'INDIVIDUS, NON PAS TELS QU'ILS SONT VUS, MAIS TELS QU'ILS SONT IMAGINÉS

Parfois, l'exigence première formulée à l'endroit d'un portrait est qu'il laisse entrevoir la personnalité du modèle. Dans ce cas, l'apparence physique réelle de ce dernier n'importe guère, ni ce qu'il veut montrer de lui. Nous en voyons l'exemple quotidien avec les dessins politiques publiés dans les journaux, même si ceux-ci penchent souvent vers la caricature plutôt que vers la caractérisation. Les artistes, eux, adoptent une perspective qui creuse davantage l'enjeu de la personnalité.

-

Parfois, l'exigence première formulée à l'endroit d'un portrait est qu'il laisse entrevoir la personnalité du modèle.

-

Cela apparaît le plus nettement lorsque le peintre s'est vu requis d'exécuter le portrait d'un parfait inconnu. Ainsi, une tradition ancienne, remontant à l'Antiquité classique, voulait que le texte d'un livre fût précédé d'un portrait de l'auteur. Quand le livre est l'un des Évangiles – c'est souvent le cas au Moyen Âge –, l'artiste se trouve confronté à un problème : nul ne sait à quoi ressemblaient les quatre évangélistes ! Le peintre peut fonder son portrait sur des représentations antérieures (tout aussi fictives), ou il peut tenter d'imaginer par lui-même, en se demandant quelle personnalité avait l'évangéliste, à quoi il pouvait ressembler lorsque l'inspiration le saisissait au moment de noter la parole de Dieu. Sur la page ci-contre, nous voyons comment un artiste du IXe siècle a dépeint saint Marc composant son Évangile. Le saint est assis derrière son encrier, le livre ouvert sur ses genoux. Il plisse le front, le visage levé avec anxiété vers les cieux où plane son symbole (le lion ailé), tenant un rouleau en guise d'encouragement.

Artiste inconnu
Saint Marc à son pupitre, détail des Évangiles d'Ebbon, v. 816-835
Encre et pigments sur vélin, 18 × 14 cm
Épernay, bibliothèque municipale

Il n'existe aucun portrait d'époque sur lesquels sont représentés les évangélistes, aussi revient-il aux illustrateurs des textes bibliques d'imaginer leur apparence physique. Ici, il faut montrer le saint recevant d'en haut l'inspiration divine.

**Rembrandt Harmensz.
Van Rijn**
*Aristote contemplant
le buste d'Homère*, 1653
Huile sur toile,
143,5 × 136,5 cm
New York, Metropolitan
Museum of Art

**Délaissant les portraits
hérités de l'Antiquité,
Rembrandt crée
sa propre vision
d'un grand penseur
méditant sur l'image
d'un grand poète.**

De manière surprenante, ces portraits imaginaires sont parfois les plus émouvants. Parmi eux, celui qu'a fait Rembrandt d'*Aristote contemplant le buste d'Homère* (ci-contre). Aristote est ce philosophe grec renommé du IVᵉ siècle avant J.-C., qui fut un temps le précepteur d'Alexandre le Grand, roi de Macédoine. L'Antiquité a sculpté des portraits d'Aristote, mais Rembrandt ne s'en inspire pas pour les traits de son philosophe. Son personnage, d'une riche complexité, à l'expression douloureuse, est issu d'une expérience plus récente et plus immédiate. Aristote n'est pas vêtu comme un philosophe antique mais comme un courtisan de l'époque du peintre. Il tâte de la main la chaîne d'or qu'il porte, marque de la faveur royale – allusion à ses liens avec Alexandre –, mais son regard pensif se perd au lointain tandis qu'il place la main droite sur le buste d'Homère, le grand poète aveugle dont l'œuvre a si profondément influencé la culture grecque, et dont le héros, Achille, a servi de modèle au grand Alexandre.

Ces portraits imaginaires sont parfois les plus émouvants.

Sur la toile, le buste en marbre d'Homère est la copie d'un portrait antique, même si ce dernier, ici encore, relève de l'imagination : il a été exécuté six siècles environ après la mort d'Homère. Nul ne sait à quoi ressemblait l'aède inspiré, mais le sculpteur (anonyme) qui a créé cette image a visiblement ressenti l'impact de sa poésie. Il a su produire l'un des portraits les plus mémorables que l'Antiquité nous ait transmis, en dépit du fait qu'il n'a sans doute aucune ressemblance physique avec l'homme qu'il prétend dépeindre.

QUESTIONS À SE POSER

Le peintre cherche-t-il à faire entrevoir la personnalité de son modèle ?

L'artiste cherche-t-il à flatter le sujet, à rendre son modèle plus important ou plus séduisant qu'il n'est en réalité ?

Dans quelle mesure peut-il déformer l'image du modèle en optant pour tel ou tel style esthétique ?

Pouvons-nous dire qu'un portrait issu de l'imagination, créé de toutes pièces par l'artiste, est encore un portrait ?

OBJETS DE
TOUS LES JOURS

-

Décrire la vie des gens ordinaires,
montrer en image les objets de tous les jours
produit des œuvres révélatrices et émouvantes,
souvent de manière inattendue.

-

Les scènes humbles de la vie quotidienne sont jugées trop prosaïques à certaines époques : parfois esquissées dans les marges des manuscrits médiévaux, ou dessinées sur des poteries dans la Grèce antique, elles ne représentent pas un vivier de sujets qui se prêtent à des représentations sérieuses. À d'autres périodes, toutefois, peintres et mécènes prennent plaisir à montrer et à observer la vie qui les entoure.

Jan Steen
Le Ménage dissolu,
v. 1668
Huile sur toile,
77 × 87,5 cm
Londres, Wellington
Museum, Apsley House

Riche en détails colorés, ce tableau est peuplé de personnages à l'âge et au statut divers : maîtres et domestiques, jeunes et vieillards, bienséants et (pour la plupart) espiègles et grivois de toutes sortes de façons.

TABLEAUX DE GENRE

Au XVIIe siècle, par exemple, les collectionneurs d'art hollandais raffolent de la « peinture de genre ». Les nombreux tableaux produits pour satisfaire cette demande sont souvent, en dépit de leurs sujets triviaux, à la fois beaux et fascinants.

Les peintres hollandais nous dévoilent des querelles de taverne, des soirées de famille bruyantes, les divertissements raffinés de l'élite, de joyeux patineurs s'ébattant sur la glace, des femmes ordinaires remplissant tranquillement leurs tâches domestiques du jour : toute la riche tapisserie des activités de leur temps.

Plus on regarde, plus on repère de nouveaux détails.

Le Ménage dissolu de Jan Steen (ci-contre) illustre ce principe. La pendule accrochée près de la porte affiche cinq heures moins cinq ; de fait, en haut à gauche, une lumière de fin d'après-midi filtre à travers la fenêtre à meneaux. Le maître de maison semble avoir bien dîné et savoure à présent une pipe en terre cuite. Une dame richement vêtue (son épouse… peut-être ?) lui offre un verre de vin. La main campée sur la hanche, une lueur dans l'œil, il lorgne le spectateur. La gouvernante, assise à l'autre bout de la table, a glissé dans un sommeil profond, ignorant le jeune garçon agenouillé près d'elle, qui fouille sa bourse.

Des cartes sont dispersées sur le plancher, côtoyant de grandes coquilles d'huîtres, une ardoise oubliée et le chapeau du maître, jeté négligemment au sol. Sur la droite, une abondance de pain et de fromage, sans oublier le gigot savoureux qui retient l'attention du chien. Plus on s'attarde, plus on repère de nouveaux détails pittoresques : le voisin curieux, épiant de sa fenêtre la servante que le musicien lutine dans le dos du maître ; les deux enfants à droite, dont l'un tient une pièce de monnaie d'un air provocateur ; le singe, enfin, perché sur le baldaquin du lit et qui joue avec les

poids de la pendule. Peut-être n'est-il pas cinq heures moins cinq, somme toute ! Qu'importe l'heure dans une pareille maisonnée ?

Jan Steen ne tient pas juste à créer un tableau intrigant. Il veut aussi transmettre un message moral : la conduite éhontée des aînés offre un mauvais exemple aux enfants ; elle a un effet néfaste jusque sur les domestiques. De même, le chien s'apprête à succomber à son appétit bestial, et le singe « gaspille son temps », littéralement.

Avec ce tableau, Steen jette un regard ironique sur les passe-temps des plus riches. À d'autres moments, il élit pour sujet les gens du peuple, qu'il peut observer de près dans la taverne dont il est le propriétaire.

LES GROS TRAVAUX DES CHAMPS

Un tableau réalisé un siècle plus tôt offre un aperçu de la vie au grand air et des travaux des champs (ci-dessus). Pierre Bruegel ressaisit l'essence de la moisson : le travail exténuant des laboureurs, qui s'échinent le long d'un sillon (à gauche les hommes manient la faux, à droite une femme se penche pour lier une botte de foin) ; les plaisirs simples du boire et du manger, révélés par le groupe assis au premier plan ; enfin, et c'est le plus émouvant, le paysan épuisé qui, allongé au pied d'un arbre, profite d'un réel repos.

Pieter Bruegel l'Ancien
La Moisson (*Août*, tiré de la série des *Mois*), 1565
Huile sur bois, 116,5 × 159,5 cm
New York, Metropolitan Museum of Art

Ce vaste paysage d'été met en scène, au premier plan, le labeur éreintant des pauvres ; il illustre à la fois la dure besogne du travail aux champs ainsi que les pauses, rares mais bienvenues.

LES CITADINS À LA BESOGNE

Autrefois, le gros du travail était agricole ; à présent, il est industriel. La vie urbaine et le travail à l'usine peuvent sembler des sujets peu attrayants, mais Lowry, sans se laisser influencer par ces considérations, se confronte énergiquement à son propre environnement. Même lorsqu'il peint des personnages perclus de froid et de fatigue, qui s'en retournent péniblement chez eux en traversant l'espace nu entre les grands édifices (ci-dessous), il nous révèle que la beauté du motif peut être provoquée par l'environnement le plus sombre.

-
L'humeur sombre et la patience à toute épreuve.
-

Les misères des pauvres citadins – mal vêtus, affamés et d'une patience inépuisable – sont rendues avec compassion par Honoré Daumier dans son tableau, réalisé dans les années 1860, *Le Wagon de troisième classe* (p. 50). C'est un thème sur lequel Daumier reviendra à plusieurs reprises.

Sa palette aux teintes obscures, ses contours rudes et saillants

Laurence Stephen Lowry
Retour de l'usine, 1930
Huile sur toile,
42 × 52 cm
Lancashire, City of
Salford Art Gallery

Cet artiste fait contraster de manière poignante les petites figures lasses des ouvriers quittant l'usine avec la géométrie dépouillée de leur environnement architectural, imposant mais stérile.

expriment avec force l'humeur sombre et la patience à toute épreuve des passagers fatigués, serrés les uns contre les autres sur les durs sièges faits de bois. Même si ce tableau incomplet comprend peu de détails méticuleux, il suffit à évoquer son contexte et à créer une atmosphère particulière.

L'HIVER À LA CAMPAGNE

Par contraste, l'illustration des frères Limbourg pour le mois de février (ci-contre), dans un livre d'heures richement enluminé à l'intention d'un mécène aristocratique, au début du XVe siècle, présente des couleurs gaies et une foison de détails exquis. Ici, les paysans frissonnent dans le froid de l'hiver. Trois d'entre eux, dans un refuge en bois – la cloison de devant a été omise afin que nous puissions voir l'intérieur –, s'entassent près du foyer et retirent sans pudeur leurs vêtements afin de réchauffer au mieux leurs corps glacés. Une femme souffle sur ses mains gelées en se rapprochant du cabanon ; un homme fend du bois vigoureusement tandis qu'un autre mène un âne à travers les étendues enneigées vers une ville située au loin. Les oiseaux picorent avidement quelques miettes sur le sol, et les moutons se blottissent ensemble dans leur abri.

La vie des petites gens a été dessinée avec une grande élégance pour le mécène, un homme de cour, qui exige que tout

Honoré Daumier
Le Wagon de troisième classe, v. 1862-1864
Huile sur bois,
64,5 × 90,2 cm
Canada, musée des Beaux-Arts du Canada

Daumier use d'un tracé âpre et irrégulier pour les silhouettes et les visages de ces voyageurs fatigués, assis dans un wagon obscur de troisième classe.

Les frères Limbourg
Février, extrait des *Très Riches Heures du duc de Berry*, 1413-1416
Vélin, page entière,
28 × 21 cm
Chantilly, musée Condé

Si les paysans démunis frissonnent, toute trace de leur pauvreté malséante a été effacée par considération pour le riche mécène.

ce qu'il possède soit touché par la beauté. Sans doute n'aurait-il pas apprécié le spectacle plus réaliste de paysans en habits râpés, dans leurs masures.

LOISIRS ET DIVERTISSEMENTS

Dans la vie, il n'y a pas que le travail : il arrive que l'on se détende en jouant. Certains peintres préfèrent montrer ces moments plus heureux, et nul ne l'a fait plus joyeusement que Renoir.

-

Tout converge pour exprimer le plaisir spontané dû aux simples joies de la vie, si allègrement partagées par le peintre et ses sujets.

-

Ainsi, son tableau de 1881, *Le Déjeuner des canotiers* (ci-dessus), traite d'un sujet anodin, qui se révèle être un pur ravissement. L'artiste remémore une chaude journée d'été, où les hommes sont en maillot de corps, les jeunes femmes étrennent, pour certaines, leur nouveau chapeau, une table chargée de bouteilles appelle à la bonne humeur : on boit, on cause, on s'attendrit sur un petit chien…, on jouit du charme d'une excursion festive en été.

Pierre Auguste Renoir
Le Déjeuner des canotiers, 1881
Huile sur toile,
130 × 173 cm
Washington, DC,
Phillips Collection

Par touches légères, Renoir dépeint un groupe de joyeux drilles qui savourent leur excursion, rare moment de loisir.

Les couleurs sont vives, douces et radieuses. La touche est légère et insouciante. Tout converge pour exprimer le plaisir spontané dû aux simples joies de la vie, si allègrement partagées par le peintre et ses sujets – ce sont les amis de Renoir qui sont figurés en canotiers, la jeune femme coquette avec le chien allait d'ailleurs devenir sa femme.

Rembrandt
Harmensz. Van Rijn
Enfant apprenant à
marcher, v. 1635-1637
Sanguine sur papier,
10,3 × 12,8 cm
Londres, British
Museum

Avec ce dessin
réalisé à la sanguine,
Rembrandt capte
un rite de passage
dans la vie de trois
personnages, vécu
de manière singulière
selon leur âge.

-

Ce qui frappe dans ce dessin, c'est l'économie des moyens utilisés
pour faire apparaître distinctement les trois âges de la vie.

-

Le dessin de Rembrandt (ci-dessous) se veut plus méditatif. Un petit enfant s'apprête à faire ses premiers pas. Sa mère, une femme d'âge mûr, vigoureuse, se penche pour lui tenir la main. Tournée vers lui avec tendresse, elle tend son autre bras en signe d'encouragement, montrant le parcours à accomplir. À droite, nous apercevons la grand-mère. Courbée par l'âge, elle aussi tient l'une des mains enfantines, encore que son soutien soit plus limité ; elle tourne sa tête chenue aux traits marqués, pour regarder son

Pablo Picasso
Premiers Pas, 1943
Huile sur toile,
130 × 97 cm
New Haven,
Connecticut, Yale
University Art Gallery

En tordant les formes naturelles, Picasso réussit à s'introduire sous la surface des apparences : il fait voir le mélange de terreur et de triomphe ressenti par un enfant qui réalise ses premiers pas.

petit-fils avec un amour infini. Le bébé, non sans crainte, s'engage dans une grande aventure. Ce qui frappe dans ce dessin, c'est l'économie des moyens utilisés pour faire apparaître distinctement les trois âges de la vie.

-
Le visage de l'enfant est tordu par la crainte de l'incertitude.
-

Le premier pas d'un enfant est aussi le thème d'un tableau de Picasso (ci-contre). S'il n'a rien du réalisme délicat inhérent au dessin de Rembrandt, il est tout aussi empreint d'affect. Rembrandt laissait deviner l'angoisse de l'enfant ; Picasso l'explicite. Un pied imposant aux orteils crispés est capté dans son action ; le visage de l'enfant est tordu par la crainte de l'incertitude : où ce pied se posera-t-il ? La petite fille tend les mains de chaque côté, doigts écartés, bras raidis. Derrière elle, tout près, l'encerclant, se trouve sa mère. Ses mains maternelles soutiennent la petite ; son doux visage trahit la sympathie qu'elle éprouve envers la peur de son enfant, mais aussi sa confiance en elle. C'est une image qui se veut forte, car elle suggère que la mère se transforme en un cocon protecteur, enveloppant l'enfant, qui, elle, absorbée dans ses propres sensations, accepte la main qui l'aide comme allant de soi. Les distorsions imposées à la réalité permettent à l'artiste de s'infiltrer au-delà des surfaces, des apparences, pour atteindre le dénouement et les émotions qu'il suscite.

JOUEURS, ANCIENS ET MODERNES

Enfin, voici deux portraits de joueurs (pages suivantes). À première vue, ils ont l'air si semblable que l'on a du mal à croire que deux millénaires les séparent. Le plus ancien (p.56) a été découvert sur le mur d'une taverne de Pompéi, cette ville détruite par l'éruption du Vésuve en l'an 79. C'est une ébauche rapide mais piquante et appropriée au lieu. Cette peinture faisait partie d'une série de dessins sur lesquels figuraient les activités de clients présents dans ce lieu : jouer, se quereller, se faire jeter dehors… Ces peintures ont une double fonction : décorative et publicitaire. Elles allient l'avertissement au plaisir visuel, tempéré par un subtil rappel du fait que le tapage ne sera pas toléré. La toile de Cézanne, *Les Joueurs de cartes* (p. 57), quoique traitant un sujet semblable à première vue, est en réalité une œuvre d'art très sérieuse. À l'origine, l'artiste a pu s'inspirer d'un tableau

exécuté au XVIIe siècle par l'artiste français Le Nain : il a retravaillé son thème plusieurs fois, jusqu'à réduire ses figures au nombre de deux, que nous voyons ici. Le sujet en lui-même est assez trivial, mais Cézanne, par son analyse précise des formes et l'équilibre subtil qu'il ménage entre les composantes, l'a investi d'une grandeur pleine de dignité. Les deux hommes assis l'un en face de l'autre créent un pendant vertical de chaque côté de la toile. Chez l'un et l'autre, le bras le plus visible semble être composé fondamentalement de deux cylindres. Observés tous ensemble, ces quatre cylindres forment un vague « W », dont les lignes aux angles arrondis relient les deux figures. Partout dans le tableau, Cézanne met en relief les simples formes géométriques de la bouteille, de la table, de l'appui de fenêtre, et même des chapeaux

Peintre romain antique
Joueurs de dés, 50-79
Fresque, 50 × 205 cm
Naples, Museo
Archeologico
Nazionale

Une esquisse à la va-vite, sur un mur de taverne, évoque un passe-temps éternel : deux hommes attablés jouent aux dés.

et des genoux. Il use d'une palette assourdie et austère, d'où une impression d'ordre et de repos qui émane de cet arrangement lucide de formes claires et simples.

NATURES MORTES

L'intérêt que porte Cézanne aux formes géométriques qui sous-tendent l'apparence des compositions et leur confèrent un ordre, fait de lui un superbe peintre de natures mortes (p. 58). Un compotier de fruits, un verre, un torchon froissé sur une table, ces humbles éléments lui soumettent un défi graphique : instaurer un ordre visuel solide dans un fatras apparent d'objets. Les natures mortes existent depuis l'Antiquité. C'est à la Renaissance que l'on renoue avec l'art de la représentation réaliste : l'immense respect des humanistes pour les œuvres de l'Antiquité classique les incite à renouveler ce genre. Les natures mortes comportent parfois des piles de fruits offrant un déploiement sensuel (page suivante), des poissons argentés étalés sur une assiette, des faisans et autres gibiers à plumes pendus à un mur, ou encore une cascade de fleurs aux couleurs éclatantes.

Paul Cézanne
Les Joueurs de cartes,
v. 1893-1896
Huile sur toile,
47 × 56,5 cm
Paris, musée d'Orsay

En analysant soigneusement les formes géométriques sous-jacentes, Cézanne instille dignité et harmonie à un sujet simple et humain.

L'habileté du peintre nous éclaire soudain sur le mérite artistique des objets banals.

Il arrive que les natures mortes présentent une vaisselle d'étain poli, des verres translucides, des étoffes riches dépliées sur une table, des livres, des bocaux, des pipes, l'encrier d'un auteur, le pinceau et la palette d'un peintre. Elles trouvent un sujet approprié dans toutes sortes d'objets inanimés, car l'habileté du peintre nous éclaire soudain sur le mérite artistique des objets banals. Cette pratique a trouvé un nouvel écho, dans les années 1960, lorsque Andy Warhol nous a incités à regarder d'un œil neuf l'intérieur de nos placards de cuisine, grâce à son image absolument fidèle des boîtes de soupe Campbell (p. 60).

Paul Cézanne
Nature morte avec corbeille de fruits,
1879-1882
Huile sur toile,
46,4 × 54,6 cm
New York, Museum
of Modern Art

Pour Cézanne, les éléments d'une nature morte génèrent un défi : scruter la disposition des formes.

NATURE MORTE AU MESSAGE

Les natures mortes peuvent aussi véhiculer un message moral, apportant une note sérieuse, voire quasi tragique (ci-dessous).

**Jan Davidsz.
De Heem**
*Nature morte
au homard*, fin
des années 1640
Huile sur toile,
70 × 59 cm
Amsterdam,
Rijksmuseum

**Les artistes hollandais
du XVIIe siècle adorent
peindre des étalages
opulents (de fleurs
ou d'aliments riches),
destinés à orner les
intérieurs cossus.**

Andy Warhol
*100 boîtes de soupe
Campbell*, 1962
Peinture aérosol sur
toile, 183 × 132 cm
Buffalo, Allbright-Knox
Art Gallery

**Glanant ses sujets
dans le garde-manger,
Warhol met en lumière
le potentiel artistique
des objets
du quotidien.**

Pieter Claesz
*Nature morte au crâne
et à la plume*, 1628
Huile sur bois,
24 × 36 cm
New York, Metropolitan
Museum of Art

**Sur une toile austère
comme celle-ci, le
crâne nu, le sablier
vide et retourné et
la lampe éteinte sont
autant de rappels
sans ménagement de
l'évanescence propre à
tout ce qui est mortel.**

La présence d'un crâne parmi les objets dépeints, pourtant si beaux, rappelle inéluctablement la nature éphémère de toute chose. Il est censé nous rappeler à l'esprit les mots émouvants de la Bible : « Vanité des vanités, tout est vanité » (Ecclésiaste 1, 2).

Ces « vanités » étaient très prisées à l'époque où les peintres hollandais et flamands concevaient les assemblages les plus riches et les plus extravagants de fleurs, de fruits, d'oiseaux et de poissons, au rendu splendide, image vivante du bien-être matériel et des bonnes choses de la vie (p. 59). Leur sérieux jette l'ombre d'une allusion littéraire sur l'ensemble des natures mortes, rappelant aux hommes : « Aux jours du bonheur, sois heureux, et aux jours du malheur, regarde : Dieu a bel et bien fait l'un et l'autre, afin que l'homme ne trouve rien derrière soi » (Ecclésiaste 7, 14).

QUESTIONS À SE POSER

Quelle gamme de sujets s'offre au peintre du quotidien ?

Un artiste peut il rendre attrayant un sujet cru ou laid ?

Les objets inanimés peuvent-ils relayer du sens ?

En quoi le style d'un artiste influence-t-il son regard sur l'objet ?

HISTOIRE ET MYTHOLOGIE

-

Faits tragiques et actions héroïques
stimulent la création d'images fortes.

-

Histoire et mythologie procurent des sujets grandioses et solennels. Parfois, les artistes s'inspirent d'événements réels, passés ou présents, qu'ils choisissent d'archiver sous forme d'images. Plus fréquemment, ce sont les grandes figures de la scène historique qui leur demandent de retracer les épisodes où elles ont joué un rôle majeur.

DONNER DU SENS À L'ÉVÉNEMENT

S'il est une commande stupéfiante, censée commémorer un événement (relativement) récent, c'est l'immense broderie, d'environ 70 mètres de long, appelée la tapisserie de Bayeux (ci-contre et p. 66-67). Elle a sans doute été exécutée en Angleterre pour l'évêque Odon de Bayeux, vingt ans tout au plus après les faits qu'elle dépeint. Cette longue bande étroite de tissu est brodée de nombreuses scènes (ce n'est donc pas une tapisserie proprement dite, puisqu'elle n'est pas tissée) relatant par le menu les événements qui ont précédé et marqué la conquête de l'Angleterre par Guillaume de Normandie.

-

La tapisserie se déroule à la façon d'une bande dessinée : une suite d'actions, rehaussées par une bordure décorative où figurent oiseaux et autres animaux, monstres et soldats abattus.

-

Ce récit commence sans doute en l'an 1064 ; la première scène montre le roi Édouard le Confesseur donnant ses instructions au comte Harold, sur le point de partir pour la France. Nous voyons Harold gagner la côte d'Angleterre, où il embarque sur les navires qui lui feront traverser la Manche. La tapisserie se déroule à la façon d'une bande dessinée : une suite d'actions, rehaussées par une bordure décorative où figurent oiseaux et autres animaux, monstres et soldats abattus.

La bordure comporte des légendes explicatives, brodées en latin pour aider le spectateur à comprendre exactement ce qui se déroule, où et avec qui, soit l'épopée guerrière de Harold en France. Puis les préparatifs de Guillaume pour la conquête normande de l'Angleterre sont montrés dans le détail, jusqu'aux arbres que l'on abat pour construire les bateaux requis. Enfin, nous assistons à la bataille de Hastings, où l'évêque Odon se distingue en participant activement, et non pas juste en esprit, à la victoire ultime de Guillaume.

Artistes inconnus
*La Flotte de Guillaume
traverse la Manche,*
détail de la tapisserie
de Bayeux, v. 1073-1083
Broderie à la laine
sur lin, H. 51 cm
Bayeux, musée
de Bayeux
(voir aussi p. 66-67)

**La tapisserie de Bayeux
est une immense pièce
de toile brodée contant
avec maints détails
graphiques la conquête
de l'Angleterre par les
Normands.**

Le détail reproduit pages 66 et 67 montre les troupes de Guillaume qui embarquent, voile au vent, en amont de l'invasion. Dans le haut de cette image, nous distinguons les mots « NAVIGIO » et « MARE ». Ils font partie de l'inscription : *Hic Willelm Dux in mango navigio mare transivit et venit ad Pevenesæ* [C'est ici que le duc Guillaume, dans un grand vaisseau, traversa la mer pour arriver à Pevensey]. Le navire amiral de Guillaume, plus loin sur la droite, n'apparaît pas sur les pages 66 et 67). Quel spectacle fascinant cette tapisserie ourdit avec l'histoire récente !

ÉVÉNEMENTS DU PASSÉ

L'histoire ancienne peut aussi inspirer les artistes des époques ultérieures. Ainsi, en 1787, Jacques Louis David peint un tableau figurant la mort de Socrate (p. 68). Ce grand penseur humaniste fut condamné à mort à Athènes en 399 pour avoir « prôné des dieux étrangers et corrompu la jeunesse ». Il laissait derrière lui un groupe d'amis et de disciples dévoués, dont le plus connu est le philosophe Platon. Platon a composé un dialogue où il évoque le courage paisible avec lequel Socrate a affronté la mort, une fois contraint de boire une potion mortelle à base de ciguë. Dans ce dialogue intitulé le *Phédon*, Phédon, qui se trouvait dans la prison avec Socrate quand ce dernier a bu le poison, relate à un proche les dernières heures du philosophe. Vers la fin du dialogue, on lit :

> Bientôt le geôlier […] entra et s'approcha de lui en disant : « Socrate, je te tiens pour le plus noble, le plus doux et le meilleur de tous ceux qui ont occupé ces lieux, et je ne te prêterai pas les sentiments coléreux des autres hommes qui ragent

INMAGNO:NAVIGIO:

MAR E

et maudissent en me voyant lorsque, par déférence envers les autorités, je les prie de boire ce poison. De fait, je suis certain que tu ne t'emporteras pas contre moi, car ce sont d'autres qui sont à blâmer. Adieu donc, et tâche d'endurer sans peine ce qui doit être : tu sais ce dont je suis chargé. » Puis, fondant en larmes, il se détourna.

Un peu plus tard, Socrate porte la coupe à ses lèvres et boit gaiement le poison jusqu'au bout. Phédon raconte :

Jusque-là, nous avions presque tous réussi à retenir nos larmes ; mais en le voyant boire, et après qu'il eut fini la potion, nous n'y tînmes plus. Malgré moi, mes larmes roulèrent sur mon visage, au point que je le recouvris pour pleurer, non sur lui, mais à la pensée de mon propre malheur, puisque je devais me séparer d'un tel ami. Je n'étais pas le premier : Criton, voyant qu'il ne pouvait retenir ses larmes, s'était levé et je l'avais suivi. C'est alors qu'Apollodore, qui n'avait cessé de pleurer, se lamenta avec force cris passionnés, au point qu'à tous, le cœur nous manqua. Seul Socrate avait gardé son calme.

Voilà comment Platon dépeint cette scène animée. Vous jugerez par vous-même si David a atteint son but en s'efforçant de la restituer en peinture.

Jacques Louis David
La Mort de Socrate,
1787
Huile sur toile,
129,5 × 196 cm
New York, Metropolitan
Museum of Art

La ferveur patriotique marque les années qui précèdent la Révolution française, poussant David à glorifier les figures héroïques de l'Antiquité classique qui, tel Socrate, sont restées inébranlables dans leurs convictions.

L'ARTISTE ET L'ACTUALITÉ

Le peintre espagnol Goya avait des opinions tranchées sur l'actualité de son époque. Sa toile commémorative, *El Tres de mayo* (ci-dessous), constitue l'une des charges les plus impitoyables contre la guerre et les sévices qu'elle entraîne. Un flot infini, semble-t-il, de patriotes espagnols gravissent péniblement la colline au sommet de laquelle la mort les guette. Désarmés, échevelés, ils ont servi leur patrie de toutes leurs forces ; à présent, il ne leur reste qu'à mourir pour elle. Au premier plan, ceux qui ont été déjà tués gisent au sol confusément, frappés de blessures hideuses. L'homme qui retient notre attention, avec sa chemise blanche, sera le prochain à être abattu. Devant lui, une flaque de sang. Il ouvre les bras dans un dernier geste fervent et entièrement sans défense. Face à lui, le peloton d'exécution s'apprête à tirer ; il forme une longue rangée d'hommes aux fusils levés sur un axe parallèle.

Un autre Espagnol n'est pas moins touché par les événements de son temps : Picasso. En 1937, le gouvernement espagnol républicain (bientôt vaincu dans la guerre civile)

Francisco de Goya
El Tres de mayo, 1814
Huile sur toile,
266 × 345 cm
Madrid, musée
du Prado

Horrifié par les atrocités qu'il a pu observer, Goya conçoit une image forte, où il commémore le massacre brutal de patriotes espagnols désarmés par l'armée conquérante de Napoléon.

lui commande un tableau censé orner le Pavillon espagnol de l'Exposition universelle, située à Paris. Outré par la barbarie des fascistes, qui ont bombardé une ville basque historique, Guernica, l'artiste prend pour thème la souffrance des civils (ci-dessous). Toutefois, au lieu d'imiter Goya, Picasso cherche à ressaisir l'angoisse et la souffrance pour les restituer au moyen de formes plus symboliques. Il tord grossièrement celles-ci pour les doter d'un surcroit radical d'expressivité.

À première vue, le tableau est chaotique… comme l'a été la ville, alors qu'un bombardier après l'autre filait au-dessus d'elle en lâchant ses bombes et ses mitrailles sur les civils en fuite (il existe des films qui montrent le véritable bombardement). Peu à peu, nous discernons des formes signifiantes. En partant de la droite, c'est une figure à la bouche hurlante et aux bras levés dans

Pablo Picasso
Guernica, 1937
Huile sur toile,
349,3 × 776 cm
Madrid, musée du Prado

Ni séquences d'actualités, ni photographies de reporters n'ont capté les ravages et la terreur causés par les bombardements incessants de Guernica comme l'a fait ce tableau, où Picasso inflige aux silhouettes des torsions expressives.

la panique (tel l'homme en chemise blanche sur le tableau de
Goya, p. 69). Au-dessous de lui, une femme se rue vers la gauche :
sa hâte est telle qu'elle semble laisser ses jambes derrière elle. Au
centre, un cheval porte au flanc une plaie terrible. Sur l'une des
esquisses préliminaires, un petit cheval ailé sortait de la blessure
– un emblème d'espoir. Mais sur la toile finale, Picasso n'a pas
exploité cette idée. Sous les sabots du cheval gît un guerrier,
les yeux disloqués dans la mort. Il tient d'une main un glaive brisé
et une fleur, et son autre main s'ouvre en vain dans le vide.

À l'extrémité gauche, une femme lève la tête vers le ciel dans
un cri d'agonie : elle porte le cadavre de son bébé (détail page
suivante). Son visage déformé est un masque de douleur, un
hurlement désespéré, rendu visible. Le bébé mort pend dans
ses bras comme une poupée de chiffon. Il est si mou et si inerte

que même son nez s'affaisse. Cette fresque déchirante diffère radicalement sur le plan émotionnel de la tendre scène entre mère et enfant que Picasso a créée quinze ans plus tôt (ci-contre).

Comme lui, Rubens, peintre flamand du XVIIᵉ siècle, a déploré les ravages de la guerre ; comme lui, il a voulu exprimer sa désapprobation sans exploiter un réalisme sans détour. À son époque, toutefois, il était impossible d'user de telles torsions expressives. Le peintre n'aurait pu y songer, ni ses mécènes les tolérer. Aussi Rubens peint-il une *Allégorie de la Guerre* (p. 74). Il le fait en utilisant les figures traditionnelles des dieux antiques grecs et romains, notamment Mars, dieu de la guerre, et Vénus, déesse de l'amour. Puis il ajoute des personnifications de lieu, telle Europe, et de maux, telles Peste et Famine. Ces figures

Pablo Picasso
Détail de *Guernica*
(la mère et l'enfant)

Dans ce détail extrait de *Guernica* (p. 70-71), Picasso « oublie » son talent de dessinateur réaliste pour mieux exprimer l'angoisse d'une mère portant le cadavre de son enfant.

Pablo Picasso
Mère et enfant,
1921-1922
Huile sur toile,
96,5 × 71 cm

**Collection particulière
Père depuis peu,
Picasso s'attache
à sonder la tendre
relation entre une
mère et son enfant.**

symboliques sont rassemblées dans une scène violemment dramatique. Rubens s'en explique dans une lettre :

Le principal personnage est Mars, qui sort en trombe du temple de Janus (lequel, selon la coutume romaine, demeure fermé tant que dure la paix) pour menacer le peuple du désastre, armé de son bouclier et d'une épée sanglante. Il ne se soucie guère de Vénus, sa maîtresse : celle-ci, escortée des Amours et des Cupidons, s'efforce de le retenir par ses caresses et étreintes. De l'autre côté, Mars est entraîné par la Furie Alecto, une torche à la main. Leur font escorte deux monstres qui incarnent Peste et Famine, compagnes inséparables de la Guerre. On voit aussi une mère portant son enfant dans ses bras,

signe que fécondation, procréation et charité sont contrariées par la Guerre, qui corrompt et détruit toute chose… Quant à la femme accablée de douleur et vêtue de noir, au voile déchiré, dépouillée de tous ses bijoux et autres ornements, c'est l'infortunée Europe qui, depuis déjà tant d'années, subit pillages, outrages et misères si universellement nocifs qu'il n'est pas besoin d'entrer dans le détail…

Tout un discours pour interpréter une image. Le choix des motifs paraît étrange et ne dira rien à la plupart d'entre nous ; leur impact visuel, malgré la vigueur et le dynamisme du trait, ne vaut pas celui des tableaux de Goya et de Picasso (p. 69 et 70-71). Mais l'opinion du peintre est tout aussi nette.

MYTHES DE L'ÈRE CLASSIQUE

L'univers des dieux païens a généré un fonds riche de légendes qui, ensemble, forment la mythologie classique. À ce titre, il est très prisé des artistes, de la Renaissance aux temps récents. Ils apprécient notamment Vénus. Parfois, elle n'est qu'un alibi pour peindre un nu féminin ; parfois, ils optent pour une légende où elle est impliquée. Titien et Rubens, chacun à sa façon, choisissent de montrer Vénus s'agrippant de toutes ses forces à Adonis, son amant, qui ne songe qu'à fuir ses étreintes pour rejoindre la chasse (p. 144, illustrations superposées).

Pierre Paul Rubens
Allégorie de la Guerre,
1638
Huile sur toile,
206 × 342 cm
Florence, palais Pitti

Au cours du XVIIe siècle, les dieux antiques grecs et romains deviennent des symboles incarnant des concepts abstraits. Avec ces personnifications et d'autres, Rubens crée une allégorie picturale complexe, sorte de polémique visuelle contre les horreurs de la guerre.

Cette légende est contée par Ovide, dont *Les Métamorphoses* sont une anthologie délectable de mythes. Dans celui-ci, Ovide indique que Vénus a tenté de séduire Adonis en lui contant l'histoire d'Atalante et d'Hippomène. Atalante, la plus rapide des mortelles, s'est vu conseiller par un oracle de ne jamais prendre d'amant. Aussi oblige-t-elle tous ses prétendants à se mesurer avec elle à la course : le vainqueur, promet-elle, aura pour prix son amour en récompense, mais le perdant sera mis à mort. Toutefois, sa beauté est telle que les hommes sont nombreux à concourir… et à mourir. Hippomène, astucieux, est le seul qui supplie la déesse Vénus de l'aider en faisant triompher l'amour. Elle lui remet trois fruits de l'arbre qui donne des pommes d'or et y ajoute sa bénédiction. Une fois la course entamée, Atalante ne tarde pas à prendre de l'avance…

Le souffle, dit Ovide, vient à manquer aux lèvres desséchées d'Hippomène et le but est encore loin. C'est alors qu'il fait rouler sur le côté une des trois pommes. La jeune fille, stupéfaite, s'arrête en plein élan : elle a si envie de s'emparer du fruit étincelant qu'elle fait un écart pour ramasser la balle d'or. Hippomène la dépasse : des bancs de spectateurs monte une clameur d'applaudissements. Mais Atalante, accélérant l'allure, rattrape son retard : de nouveau, voici le jeune homme dépassé. Il la distrait de nouveau en jetant une deuxième pomme.

C'est le moment de l'histoire que choisit d'illustrer Guido Reni (ci-dessous). Hippomène vient de jeter la nouvelle pomme sur le

Guido Reni
Hippomène et Atalante,
v. 1625
Huile sur toile,
191 × 264 cm
Naples, Museo e
Gallerie Nazionali
di Capodimonte

**Le poète romain Ovide
a conté les mythes
classiques avec tant
de charme que des
artistes comme Guido
Reni ont œuvré
à mettre ses mots
en peinture, voire
en sculpture.**

Macron
Coupe à figures rouges
montrant le jugement
de Pâris, v. 480
Poterie, 13 × 37 cm
Berlin, Antikenmuseum,
Staatliche Museen
Preussischer
Kulturbesitz

**Tracé pur, détails
sobres, gestes rares
mais éloquents : voilà
qui suffit à ce peintre
grec pour conter une
légende célèbre.**

Lucas Cranach l'Ancien
Le Jugement de Pâris,
v. 1528 (?)
Huile sur bois,
102 × 71 cm
New York, Metropolitan
Museum of Art

**Pour illustrer le
mythe dans lequel
le prince troyen Pâris
doit désigner une
déesse parmi trois
comme la plus belle,
Cranach s'efforce de
moderniser l'histoire :
il revêt ses figures
masculines d'habits
à la mode et dessine
les déesses nues non
sans sacrifier aux
canons d'élégance
de son temps.**

côté et Atalante dévie de sa course pour l'attraper. Elle tient la
première à la main mais ne peut résister à l'attrait de la suivante.
Hippomène garde le troisième fruit dissimulé dans sa main gauche.
En fin de compte, il l'utilisera de la même façon, remportant
la course et la jeune fille.

Tous les artistes ne peuvent s'approprier et l'esprit et la forme
d'un mythe aussi habilement que Reni. Au XVIe siècle, l'Allemand
Lucas Cranach s'essaiera à l'un des récits païens les plus célèbres :
le jugement de Pâris. Pâris, fils du roi de Troie, se voit prié de
remettre un prix de beauté (là encore, une pomme d'or) à l'une
de ces trois déesses : Junon, Minerve ou Vénus (ci-contre).
Cranach a tenté d'insuffler à la scène le plus de vivacité possible,
mais le résultat peut nous paraître un tantinet comique. Pâris, vêtu
en galant chevalier de la Renaissance, est assis sous un arbre,
le prix dans la main. Mercure, messager des dieux, est ici figuré
sous les traits d'un vieux barbu au casque ailé. Il présente les trois
charmantes déesses à Pâris afin que celui-ci puisse les admirer.

Pour exhiber au mieux leurs charmes, les trois déesses se sont
déshabillées. Mais, soucieuses de rester élégantes (semble-t-il),
elles ont gardé leurs bijoux et l'une d'elles n'a pu se résigner
à ôter son bibi à la mode.

Le tout produit un effet très différent du même événement
peint de manière quasi désinvolte sur un vase grec du Ve siècle
av. J.-C. (ci-dessus). Sur ce décor, Pâris, pourtant prince de Troie,
fait momentanément office de berger. Assis à gauche parmi son
troupeau, il vient de se divertir à jouer de la lyre (on s'ennuie à
garder les moutons !). Il s'étonne à la vue de Mercure (aux sandales
ailées) qui s'approche par la droite, menant les trois déesses :
Minerve, reconnaissable à son casque et à sa lance ; Junon,

l'épouse royale de Jupiter, premier parmi les dieux ; et Vénus, entourée de petits Cupidons virevoltants (elle est certaine de gagner). Ici, ni couleur ni modelé. Les figures, d'un rouge orangé, se détachent nettement sur le fond noir, mais les lignes fermes et fluides du peintre confèrent à ce simple dessin une élégance et une grâce inoubliables.

Une toile enchanteresse de Botticelli (ci-dessous) montre de nouveau Vénus et Mars. Loin de se battre comme sur l'allégorie de Rubens (p. 74), ils jouissent d'une paix profonde. Mars dort, toute guerre oubliée, tandis que de petits Pans (notons leurs cornes et leurs oreilles de bouc) jouent avec sa lance et son armure. Vénus, accoudée en face de lui, demeure éveillée et attentive. Depuis Homère, les auteurs classiques ont conté les amours illicites de Mars et de Vénus, pris en flagrant délit d'adultère par Vulcain, l'époux cocufié de Vénus. Toutefois, on peut douter que Botticelli ait eu en tête cette partie de l'histoire, d'autant que ce panneau était censé orner un coffre de mariage ! Mars et Vénus sont aussi les noms de deux planètes : selon les astrologues de l'époque,

Sandro Botticelli
Mars et Vénus, v. 1485
Tempera et huile sur
bois, 69 × 173,5 cm
Londres, National
Gallery

Botticelli s'inspire des valeurs associées par les astrologues aux dieux romains Mars et Vénus pour évoquer une allégorie de l'Amour subjuguant la Guerre. À cette époque, en montrant des petits Pans jouant avec l'armure de Mars, il fait une allusion érudite à un tableau classique perdu, où de petits Cupidons jouaient de même avec l'équipage d'Alexandre le Grand.

leur conjonction doit porter bonheur. Dans ce contexte, Vénus passe pour maîtriser et apaiser Mars, réfréner sa malveillance : c'est apparemment ce qui se produit ici. Botticelli n'illustre pas directement un épisode mythologique, pas plus que Rubens (p. 74) ; il tire des mêmes personnages une allégorie à laquelle il assigne un sens diamétralement opposé.

_____

QUESTIONS À SE POSER

Incombe-t-il au peintre de représenter exactement
    un événement historique ?
L'artiste doit-il exprimer son opinion personnelle au sujet d'un
    événement historique ?
Peut-on véhiculer une idée par le biais de figures antiques,
    dieux ou personnifications fictives ?
Quels procédés un artiste peut-il employer pour populariser
    un mythe ou toute autre histoire ?

LE MONDE CHRÉTIEN

-

Pendant près d'un millénaire,
l'Église catholique a été le mécène
le plus généreux des arts occidentaux.

-

Pendant près d'un millénaire, l'Église catholique a été, directement ou indirectement, le mécène le plus généreux des arts occidentaux. D'innombrables peintres se sont vu commander des œuvres : grands retables imposants, petits autels portatifs destinés au culte privé, vitraux, mosaïques et fresques, illustrations et décors pour bibles et missels.

SUJETS CHRÉTIENS

L'art religieux admet toute une gamme de sujets. La plupart sont tirés du Nouveau Testament : au premier chef l'enfance du Christ (p. 88-89 et 90), les miracles qu'il accomplit (pp. 11, 131 et 133) et les épisodes de sa Crucifixion et de sa Résurrection (p. 93-95, 96, 128-130 et 158). Tout aussi populaires sont les images pieuses sans texte biblique correspondant : ainsi, celles de la Vierge Marie (la Madone) avec l'Enfant Jésus, entourés de saints (p. 136 et 138), ou les portraits de tel ou tel saint. Parfois, on leur consacre une chapelle particulière, laquelle requiert un retable approprié (ci-contre et p. 121).

PORTRAITS DE MARTYRS

Saint Sébastien (ci-contre) est un martyr chrétien des premiers temps. « Martyr » est le mot grec pour « témoin », et nombre de ces premiers convertis se voient contraints d'attester leur foi en sacrifiant leur vie. C'est le cas de Sébastien. Vers la fin du IIIe siècle, il est nommé commandant d'une garde prétorienne, les « gardes du corps » des empereurs romains. Découvrant sa conversion au christianisme, l'empereur Dioclétien se refuse à croire qu'un homme puisse servir à la fois Dieu et César : il exige que Sébastien renonce à sa foi ou affronte un peloton d'exécution composé d'archers. Sébastien reste fidèle à sa religion. Dès lors, il est attaché à un poteau, criblé de flèches et laissé pour mort. Par miracle, il survit. Ayant recouvré ses forces, il aborde de nouveau l'empereur pour le supplier de tolérer les chrétiens. Cette fois, Dioclétien ne prend aucun risque : il fait battre Sébastien à coups de massues jusqu'à ce que mort s'ensuive.

Les artistes représentent en général saint Sébastien attaché à un pilier (ci-contre) ou à un arbre (p. 121) et transpercé de flèches. (Ces flèches, soit dit en passant, étaient associées à la peste : jadis, aux temps païens, le dieu Apollon aurait envoyé ce fléau en décochant ses traits. On ne sera donc pas surpris d'apprendre que saint Sébastien était fréquemment invoqué en cas d'épidémie.)

Andrea Mantegna
Saint Sébastien,
1455-1460
Huile sur bois,
68 × 30 cm
Vienne,
Kunsthistorisches
Museum

**Si Mantegna attire
notre regard sur
le corps nu du saint,
il souligne avec
subtilité la foi
constante du martyr
en faisant reculer
vers l'arrière-plan
les archers irréfléchis.**

Les toutes premières images montrent le corps du saint tant percé de flèches qu'il évoque pour ainsi dire un porc-épic ; mais à la Renaissance, qui voit renaître l'intérêt pour l'art antique et le nu en peinture, le nombre de flèches diminue brusquement et la beauté corporelle du jeune homme devient le point focal du tableau.

Celui de Mantegna, réalisé entre 1455 et 1460 (page précédente), illustre bien cette évolution. Rien ou presque ne distrait le regard de l'anatomie du saint, étudiée dans le détail : l'axe de ses hanches plie vers une direction opposée à l'axe de ses épaules, attitude corporelle (baptisée *contrapposto*) conçue dans l'Antiquité pour donner l'illusion d'une dynamique équilibrée. Mantegna, dont l'intérêt pour l'Antiquité ne se borne pas à la pose classique de sa figure, veille à inclure des fragments de la statuaire antique : son saint est lié à une arche brisée, ornée dans le style romain. Ce faisant, l'artiste satisfait sa passion pour les études archéologiques et fait allusion à la période historique pendant laquelle Sébastien a réellement vécu. Surtout, il évoque le triomphe ultime du christianisme sur le paganisme, dont les vestiges matériels sont ici montrés dans un état vétuste.

LA VIE DU CHRIST

L'un des sujets les plus populaires parmi ceux tirés de l'Ancien Testament et figurés en peinture religieuse est l'Annonciation (ci-contre et p. 126 et 127). Cet épisode est relaté dans l'Évangile de saint Luc.

> Le sixième mois, l'ange Gabriel fut envoyé par Dieu dans une ville de Galilée, du nom de Nazareth, à une vierge fiancée à un homme du nom de Joseph ; et le nom de la vierge était Marie. Il entra et lui dit : « Réjouis-toi, comblée de grâce, le Seigneur est avec toi. » À cette parole, elle fut toute troublée, et elle se demandait ce que signifiait cette salutation. Et l'ange lui dit : « Sois sans crainte, Marie, car tu as trouvé grâce auprès du Seigneur. Voici que tu concevras dans ton sein et enfanteras un fils, tu l'appelleras du nom de Jésus. Il sera grand, et sera appelé Fils du Très-Haut… » (Luc 1, 26-32).

Les peintres illustrent généralement cet épisode à la façon de Giovanni di Paolo (ci-contre). L'artiste montre l'ange, ailé et radieux, adressant son message avec déférence à la Vierge Marie, elle-même dépeinte comme humble, pieuse et peut-être un peu stupéfiée par cette soudaine apparition.

Giovanni di Paolo
*L'Annonciation et
l'Expulsion du paradis,*
v. 1435
Tempera sur bois,
39 × 45 cm
Washington DC,
National Gallery of Art

**L'apparition soudaine
de l'ange surprenant
Marie contraste
avec l'insouciance
domestique de Joseph,
assis devant l'âtre,
à l'extrême droite,
ainsi qu'avec la scène
de gauche où Adam
et Ève sont chassés
du jardin d'Éden
à cause du péché
que rachètera Jésus.**

Sur la gauche du tableau de Giovanni di Paolo, dans le
charmant jardin qui borde la maison, nous voyons deux figures
nues, consternées, fuir vers la droite, chassées par un ange au
visage résolu. Ce sont Adam et Ève : la saynète à l'arrière-plan
montre leur expulsion du paradis. Ils ont commis le premier péché,
dit « originel », en mangeant le fruit de l'Arbre de la connaissance,
ce que Dieu leur avait formellement interdit. Les voici chassés
du jardin d'Éden, où ils ont perdu tout droit de séjour.

Si cette scène apparaît à l'arrière-plan de notre *Annonciation*,
c'est que le Christ, dont la naissance imminente est ici prédite,
finira par donner sa vie pour racheter le péché originel et sauver
l'humanité. Depuis le coin supérieur gauche du tableau, Dieu le
Père ordonne les scènes en contrebas : l'expulsion de l'humanité,
chassée du paradis, et sa rédemption ultime, due aux souffrances
endurées par son fils Jésus dont la naissance suivra l'Annonciation.

Masaccio (Tommaso di ser Giovanni Cassai, dit)
L'Expulsion du paradis, v. 1427
Fresque
Florence, église Santa Maria del Carmine

Masaccio exprime le désespoir d'Adam et Ève, chassés du jardin d'Éden, avec une profondeur et une compassion inouïes.

Anonyme
Venus Pudica ou *Vénus du Capitole*, copie romaine d'une œuvre hellénistique, IIIᵉ siècle av. J.-C.
Marbre, H. 180 cm
Paris, musée du Louvre

Cette statue impassible de Vénus, du type appelé « Venus Pudica » (Vénus modeste), a été adaptée magistralement par Masaccio pour son Ève. Il lui a apporté quelques modifications significatives afin qu'elle exprime une angoisse radicale.

-

Cette image, profondément émouvante, illustre l'intérêt porté à l'Antiquité classique et au portrait de nu.

-

Parmi les nombreuses représentations de l'Expulsion, la plus forte est peut-être ce tableau réalisé par Masaccio vers 1427 (ci-contre, à gauche). Adam, courbé sous le poids de la honte, se voile la face, tandis qu'Ève crie son désespoir dans les affres du remords. Il n'apparaît pas tout de suite que cette image, profondément émouvante, illustre l'intérêt porté à l'Antiquité classique et au portrait de nu, mis à l'honneur au XVᵉ siècle par Mantegna et d'autres (p. 83). Mais à y regarder de plus près on voit qu'Ève est un avatar de la figure antique dite la Venus Pudica (ci-contre, à droite), à laquelle Masaccio apporte des modifications infimes, mais cruciales, de façon à forger sa propre représentation expressive.

LA NATIVITÉ

« Nativité » est le titre habituel donné aux peintures qui figurent le Christ nouveau-né adoré par sa mère (p. 88-89). Joseph, l'époux de Marie, y figure en règle générale, ainsi que deux animaux. La présence de Joseph est facile à expliquer, plus que la raison pour laquelle le bœuf et l'âne font partie intégrante de la scène. L'Évangile selon saint Luc (2, 7) indique explicitement qu'après sa naissance Jésus est emmailloté par Marie qui le place dans une mangeoire, dans l'étable où ils se sont réfugiés, parce qu'il n'y a pas de place pour eux à l'auberge, mais il ne mentionne pas d'animal. Toutefois, âne et bœuf apparaissent dans le Livre d'Isaïe, au détour d'un passage censé prophétiser la venue du Christ : « Le bœuf connaît son possesseur et l'âne la crèche de son maître… » (Isaïe 1, 3).

Là encore, nous observons que des fragments de l'Ancien Testament habitent l'arrière-plan de la réflexion qui sous-tend les illustrations du Nouveau Testament, voire l'arrière-plan concret, pictural, de ces images.

La toile de Hugo Van der Goes (p. 88-89) montre bien plus que la simple nativité : elle comprend l'adoration des bergers. Toujours selon saint Luc…

Il y avait dans la même région des bergers qui vivaient aux champs et gardaient leurs troupeaux durant les veilles de la nuit. L'Ange du Seigneur se tint près d'eux […] et ils furent saisis

d'une grande crainte. Mais l'ange leur dit : « Soyez sans crainte, car voici que je vous apporte une bonne nouvelle, une grande joie qui sera celle de tout le peuple. Aujourd'hui vous est né un Sauveur, qui est le Christ Seigneur, dans la ville de David. Et ceci vous servira de signe : vous trouverez un nouveau-né enveloppé de langes et couché dans une crèche. » (Luc 2, 8-12)

Les bergers, guidés par une cohorte d'anges, s'en vont trouver l'Enfant pour l'adorer. Hugo Van der Goes les montre qui se hâtent de rejoindre la Sainte Famille depuis la droite, avec une ferveur et un respect profonds. Agenouillée sur la gauche, Marie adore solennellement l'Enfant qui gît, isolé dans sa splendeur, au centre de l'image. Des angelots vêtus de riches habits, volent au-dessus de la scène et participent à l'adoration de l'Enfant Sauveur. Van der Goes établit un contraste significatif entre les anges, drapés dans des tuniques de soie et des manteaux aux lourdes broderies, et les bergers à la mise sobre et aux traits communs. Ce sont des simples, dont la piété s'éveille de manière naïve et touchante à la vue de l'Enfant saint baigné de lumière.

Hugo Van der Goes
Triptyque Portinari
(*Adoration des bergers*),
v. 1479
Huile sur panneau,
H. 253 cm ; largeur
totale, comprenant
les panneaux latéraux,
594 cm
Florence, galerie
des Offices

**Dans ce grand retable,
les visages naïfs et
la mise simple des
bergers contrastent
avec la beauté
étincelante des anges
et l'élégance raffinée
des donateurs,
accompagnés de leurs
saints patrons.**

Ce retable a été commandité au peintre par Tommaso Portinari, qui lui a demandé d'inclure sur les ailes des portraits votifs de lui-même et de sa famille en prières, accompagnés de leurs saints patrons. Les anges annoncent la naissance du Christ aux simples bergers, mais quelques « sages » d'Orient, qui ont vu se lever une étoile, comprennent d'emblée ce qu'elle annonce. Ils se rendent à Bethléem, où ils « virent l'Enfant avec Marie sa mère et, se prosternant, ils lui rendirent hommage ; puis, ouvrant leurs cassettes, ils lui offrirent en présents de l'or, de l'encens et de la myrrhe » (Matthieu 2, 11).

Dans les tableaux qui illustrent ce récit, ces « sages », généralement au nombre de trois, sont appelés les Mages. Les artistes qui peignent leur voyage les montrent souvent en compagnie d'un entourage nombreux et varié : serviteurs et animaux exotiques. L'Adoration des Mages est un autre thème populaire. Ayant réduit leur nombre à trois, les peintres cherchent à les différencier afin de suggérer que chacun d'eux est représentatif d'un type universel. Ils montrent en général un mage jeune,

un autre d'âge mûr et un troisième sous les traits d'un vieillard. Souvent, deux d'entre eux sont blancs et le troisième est noir.

C'est ainsi que Jérôme Bosch figure les Mages lorsqu'il peint cette scène (ci-contre). Malgré son rang et son âge vénérable, le plus âgé, aux cheveux et à la barbe blanchis, s'agenouille devant le Divin Enfant pour offrir un riche présent. À sa droite, le mage d'âge mûr et son jeune compagnon noir attendent de pouvoir rendre hommage à l'Enfant avec les objets de prix qu'ils ont apportés. Joseph, agenouillé à gauche, se tient devant l'étable où le bœuf s'agenouille lui aussi ; l'âne n'est vu que de dos. Au centre, la Madone tient l'Enfant Jésus sur ses genoux. Elle est assise sur une étoffe d'or, signe qu'en dépit de ce décor modeste elle est la Mère de Dieu.

Jérôme Bosch
L'Adoration des Mages,
v. 1490
Tempera et huile sur
bois, 71 × 56,5 cm
New York, Metropolitan
Museum of Art

L'adoration de l'Enfant Jésus est un thème aussi répandu auprès des peintres que dans les cantiques de Noël. Montrer les trois sages venus de loin, c'est, pour les artistes, l'occasion de sonder l'humanité dans toute sa riche variété.

LE BAPTÊME

L'Évangile selon saint Marc commence par décrire la façon dont saint Jean-Baptiste vient en messager auprès des hommes afin de préparer la venue du Christ. Une foule entière, en quête de pardon pour ses péchés, va lui demander le « baptême du repentir ».

Et il proclamait : « Vient derrière moi celui qui est plus fort que moi, dont je ne suis pas digne, en me courbant, de délier la courroie de ses sandales. Moi, je vous ai baptisés avec de l'eau, mais lui vous baptisera avec l'Esprit Saint. »
Et il advint que Jésus vint de Nazareth en Galilée, et il fut baptisé dans le Jourdain par Jean. Et aussitôt, remontant de l'eau, il vit les cieux se déchirer et l'Esprit comme une colombe descendre vers lui, et une voix vint des cieux : « Tu es mon Fils bien-aimé, tu as toute ma faveur. » (Marc 1, 7-11)

Le Baptême du Christ est figuré avec une clarté admirable à l'intérieur du dôme d'un édifice, lui-même un baptistère de Ravenne (p. 92). Jésus, debout au centre, est immergé jusqu'à la poitrine ou presque dans le fleuve. Jean-Baptiste, avec son traditionnel vêtement en peau de bête, vient d'étendre la main pour le baptiser : au même instant, le Saint-Esprit sous la forme d'une colombe se fait visible au-dessus de la tête de Jésus. À gauche siège une figure classique, personnifiant le fleuve Jourdain ; elle manifeste un respect approprié pour le miracle qui s'est produit dans ses eaux.

LA CRUCIFIXION

Ayant accompli de nombreux miracles, Jésus gagne Jérusalem.
Là, il célèbre la Pâque juive en compagnie de ses disciples, avec
qui il partage un dernier repas (la Cène) avant d'être trahi. C'est
alors que Jésus institue le sacrement de l'Eucharistie (p. 128-130).

On a souvent demandé aux artistes de peindre la Cène sur le
mur du fond des réfectoires monastiques : ainsi, pendant les repas
des moines ou des religieuses, le Christ et ses disciples semblaient
être avec eux « à la grande table ». C'est le cas des fresques
de Castagno et de Léonard de Vinci (p. 128-129), dont nous
analyserons plus loin la composition.

Une fois le repas pris, Jésus sort et va passer la nuit en prières,
car il sait qu'il sera trahi à l'aube. De fait, Judas a déjà prévu
d'identifier Jésus à l'intention de ceux qui viendront l'arrêter,
en le distinguant au moyen d'un baiser (p. 158).

La Crucifixion, dans laquelle Jésus subit une mort atroce pour
sauver le reste de l'humanité, est l'image-pivot de la foi chrétienne.
Les artistes ne cessent de ressasser la meilleure façon de peindre
cet événement majeur. Certains mettent l'accent sur l'extrême
souffrance physique endurée par le Christ, comme sur le tableau
poignant de Grünewald (ci-contre). La tête de Jésus retombe en
avant, le visage exténué de souffrance ; son corps pitoyable n'est

**Artiste byzantin,
anonyme**
Le Baptême du Christ,
VIᵉ siècle
Mosaïque
Ravenne, baptistère
des Ariens, *tondo*
central de la coupole

**Cette représentation
limpide du Baptême
est originale en ce
qu'elle montre les eaux
du fleuve Jourdain qui
voilent légèrement
la nudité du Christ.**

Matthias Grünewald
La Crucifixion, panneau
central du *Retable
d'Issenheim*, v. 1512-1516
Huile et tempera sur
panneau, 376 × 534 cm
Colmar, musée
Unterlinden

**Grünewald souligne
l'humanité de Jésus
en donnant une
représentation
graphique de ses
souffrances mentales
et physiques.**

que plaies et lambeaux, des pieds (réunis implacablement par
le clou qui les traverse) à ses doigts crispés par l'angoisse et qui
griffent l'air sans espoir. À sa droite, la Madone s'évanouit dans les
bras de Jean l'Évangéliste, tandis que Marie-Madeleine, terrassée
par la douleur (elle voue un culte passionné au Christ), s'agenouille
au pied de la croix. À droite figure Jean-Baptiste : son doigt pointé
indique calmement que l'homme mort en croix est le véritable
Sauveur. Sa présence ici est symbolique ; elle rappelle son rôle
en tant qu'annonciateur du Christ et de sa venue.

D'autres artistes laissent plutôt entrevoir la dimension cachée,
spirituelle, du supplice, tel l'auteur de cette mosaïque du XIᵉ siècle
(p. 94). Ici, le corps du Christ ne trahit pas d'autre signe
de souffrance qu'une plaie au côté, en écho à l'Évangile de Jean
(19, 33-37). L'artiste entend montrer l'accomplissement d'une
prophétie annoncée dans l'Ancien Testament, et non recréer
une scène historique. Chagrin et calme piété s'expriment
dans les deux figures latérales que sont la Vierge Marie
et Jean l'Évangéliste.

Artiste grec, anonyme
La Crucifixion, xiᵉ siècle
Mosaïque
Delphes, Grèce, église
du monastère

**La simplicité et la
gravité de cette
image transmettent
l'importance spirituelle
de la Crucifixion.**

Au milieu, le Christ est montré dans toute sa beauté, spirituelle et corporelle, transcendant l'épreuve de la Crucifixion.

« [...] Déjà le soir était venu, et [...] Joseph d'Arimathie [...] réclama le corps de Jésus. [...] Ayant acheté un linceul, il le descendit de la croix, l'enveloppa dans le linceul et le déposa dans la tombe qui avait été taillée dans le roc. Or, Marie de Magdala et Marie mère du Christ regardaient où on l'avait mis. » (Marc 15, 42-47)

C'est ainsi que saint Marc décrit la mise au tombeau du Christ, sujet empreint de *pathos*, souvent dépeint de façon très

**Caravage
(Michelangelo Merisi
da Caravaggio, dit le)**
La Mise au tombeau,
1603-1604
Huile sur toile,
300 × 203 cm
Rome, galerie
du Vatican

**La douleur fervente
éprouvée par les
survivants après le
décès d'un être cher est
dépeinte avec vivacité
lorsque le Caravage
montre la mise au
tombeau du Christ.**

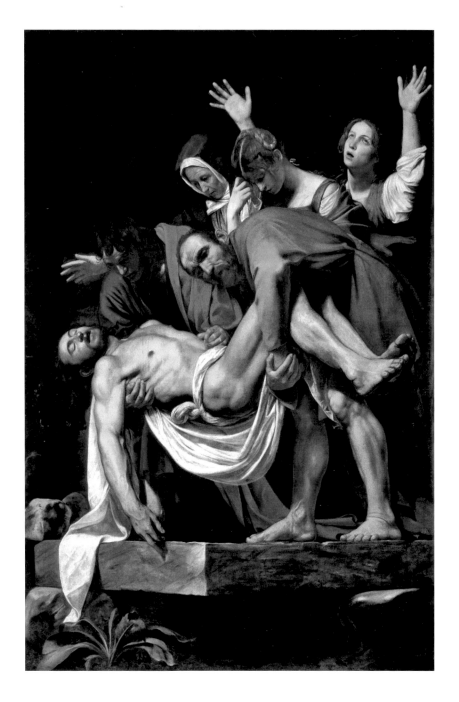

émouvante par les artistes. Le Caravage (ci-contre) figure la scène avec une simplicité grave et touchante. Deux hommes descendent avec précaution le corps inerte du Christ (les Évangiles diffèrent quant à l'identité des témoins) pendant qu'à l'arrière-plan trois femmes se lamentent. Le linceul utilisé pour envelopper le corps pend derrière le bras droit affaissé du Christ. Depuis ce coin inférieur gauche du tableau, les formes peintes s'élèvent vers la partie supérieure droite, marquant un crescendo de deuil, du visage impassible de Jésus en passant par les hommes en deuil et les femmes éplorées, jusqu'à l'apogée : le geste désespéré de la femme la plus en arrière.

Piero della Francesca
La Résurrection, v. 1463
Fresque, 225 × 200 cm
Borgo San Sepolcro,
Pinacoteca Civica

Avec cette
***Résurrection*, Piero**
della Francesca
suscite le sentiment
irrépressible que le
Christ devait sortir,
triomphal,
du tombeau.

LA RÉSURRECTION

Aucun des Évangiles ne décrit la Résurrection. Ils se contentent d'indiquer que, le troisième jour après la Crucifixion, le tombeau du Christ est découvert vide. Mais les artistes ont tenté d'imaginer et de faire voir ce qu'il a pu advenir lorsque le Christ s'est levé d'entre les morts. Les images ayant trait à la Résurrection sont très variées. Certaines montrent le Christ surgi de sa tombe dans un flamboiement de lumière ; sur d'autres, il émerge plus sobrement. Unique en son genre, d'une puissance et d'une grandeur inouïe, *La Résurrection* de Piero della Francesca est exécutée vers 1463 (ci-contre). La figure massive du Christ se détache nettement au centre, regardant le fidèle droit dans les yeux. Il fait halte à sa sortie du tombeau : nul besoin de se hâter, car la bannière du salut qu'il porte vaut pour l'éternité. À sa gauche, un arbre mort et une terre stérile ; à sa droite, tout a soudain éclos. Les gardes vautrés au premier plan dorment toujours. Le miracle s'est joué en silence, inéluctable et splendide.

QUESTIONS À SE POSER

Y a-t-il une seule façon de dépeindre une scène religieuse ?
L'artiste doit-il laisser entrevoir ses sentiments
    dans ce genre de scène ?
Les éléments du quotidien peuvent-ils s'immiscer
    dans une image pieuse ?

CRÉER DES MOTIFS SUR DES SURFACES PLANES

-

Une image n'a pas à décalquer
le monde que nous voyons.

-

Un jour une dame, rendant visite à Matisse dans son atelier, remarqua : « Mais voyons, le bras de cette femme est beaucoup trop long ! » Le peintre répliqua poliment : « Madame, vous faites erreur. Ce n'est pas une femme : c'est un tableau. » Une image n'a pas à décalquer le monde que nous voyons. Elle peut être avant tout décorative, comme l'a démontré Matisse, toujours lui, sur une toile comme *La Chambre rouge* (ci-dessous). Il est facile d'identifier les composantes de cette image : la table dressée élégamment, la domestique tirée à quatre épingles, la nappe et le papier peint aux jolis motifs, une chaise, une fenêtre donnant sur un pré et des arbres, avec une maison à l'horizon. Mais la façon dont peint Matisse ne revient pas à montrer le monde réel. Pourquoi pas, du reste ? Le jeu exquis des motifs n'est-il pas plus savoureux, sinon plus approprié, puisqu'il s'agit d'orner une surface plane ? Les estampes japonaises et leur composition sont souvent des chefs-d'œuvre harmonieux à deux dimensions. Ainsi, celle qui figure sur la page ci-contre montre un acteur en train de danser. Nous repérons sans difficulté sa tête, sa main gauche et même le pied minuscule qui dépasse sous la robe, mais ce qui capte avant tout notre attention, c'est le gracieux mouvement transmis par les

Henri Matisse
*La Chambre rouge
(Harmonie en rouge)*,
1908
Huile sur toile,
180,5 × 221 cm
Saint-Pétersbourg,
musée de l'Ermitage

Matisse joue avec les couleurs et les formes pour réduire une scène identifiable à un schéma où l'espace et le volume sont à peine suggérés.

**Torii Kiyonobu I
(attribué à)**
Acteur de kabuki, 1708
Estampe, encre sur
papier, 55 × 29 cm
New York, Metropolitan
Museum of Art

Sans doute conçue
comme une affiche
pour le théâtre de
kabuki, cette estampe
a été composée de
façon à frapper le
spectateur, même
de loin. La riche
variété de ses motifs
suggère habilement
les mouvements
sinueux de l'acteur-
danseur, qui utilise
ses habits volumineux
pour produire une série
d'ondulations fluides.

arabesques du kimono et la façon spectaculaire dont les motifs colorés et sophistiqués de l'étoffe s'articulent en un schéma à la complexité et au charme inattendus.

SCHÉMAS DÉCORATIFS ET FONCTION RELIGIEUSE

Nul besoin d'assujettir l'harmonie des lignes et des couleurs – un décor plane ornant une surface plane (voir p. 100-101) – à la représentation. Les artistes musulmans ont exploré les permutations intriquées du dessin abstrait, car si l'interdit religieux portant sur la représentation de créatures vivantes n'a jamais été strictement appliqué, il était assez puissant pour stimuler une longue tradition d'art non figuratif. Sur ce feuillet extrait d'un Coran (ci-dessus), l'espace ornemental est un carré bordé de rectangles en bas comme en haut. Rectangles et cadre

Enlumineur anonyme (Irak)
Folio de garde
d'un Coran de Bagdad,
1306-1307
Encre, aquarelle
et or sur papier,
43,2 × 35,2 cm
New York, Metropolitan
Museum of Art

Cet artiste musulman s'est interdit toute allusion à des créatures vivantes ; il a exploité divers motifs géométriques pour créer un décor stimulant.

**Enlumineur anonyme
(Angleterre)**
Page tirée des
Évangiles de
Lindisfarne, v. 700-721
Manuscrit enluminé,
34 × 25 cm
Londres, British Library

**Si la page est
remplie de créatures
grouillantes et
serpentines, la grande
croix bordée de rouge
impose une portée
religieuse à cette
composition intriquée.**

(décoloré sur la partie inférieure gauche) sont remplis de petits
motifs bleus, décor que l'on retrouve dans l'étoile à huit branches
placée au centre du carré. D'autres étoiles semblables, coupées
en deux, se rattachent aux quatre côtés du carré, dont les coins
sont occupés par des carrés écartelés. Si toutes ces étoiles étaient
complétées et si le fond, au décor de motifs géométriques dorés
et emboîtés, se prolongeait, la composition pourrait s'étendre
sans fin vers les quatre points cardinaux. Mais on peut aussi voir
dans ce décor quatre grandes « fleurs » dorées ayant pour cœur un
cercle, et dont les pétales sont séparés par des petits triangles sur
fond bleu. Ainsi, ce schéma géométrique ingénieux invite à deux
lectures distinctes.

Une page glanée dans un évangile enluminé vers 700 dans
les îles britanniques (ci-dessus) présente un aspect fort différent,

même si, là encore, le décor est essentiellement non figuratif et divisé en sections. Ici, le motif qui domine est celui de la croix chrétienne. Il manque à la composition l'ambiguïté astucieuse de l'échantillon musulman, mais elle compense ce défaut par ses connotations religieuses. La grande croix régit le centre du décor, par ailleurs recouvert d'un réseau complexe, masse foisonnante de créatures qui se tordent et s'entremêlent. De plus vastes motifs, curvilignes et bleus, se lovent autour de la croix ; d'autres, à l'intérieur, sont plus réduits et de couleur verte. La croix elle-même, rehaussée d'un tracé rouge, impose son ordre à toutes ces formes enchevêtrées, serpentines et à tête d'oiseau.

LA FORME PURE

Quoique planes, ces deux compositions (p. 102 et 103) sont d'une incroyable complexité et présentent maint détail exquis, que l'on doit sans doute à une dextérité manuelle sans pareille. En revanche, les toiles de Mondrian, artiste hollandais du XXᵉ siècle (ci-contre, en haut) sont d'une sobre simplicité. Elles contiennent de grands blocs de couleurs primaires (rouge, jaune et bleu) sur fond blanc, séparés par des lignes noires qui se croisent à angle droit. Si Mondrian ne met pas son œuvre au service d'une religion conventionnelle, comme les décorateurs du Coran et des Évangiles, il recherche bien plus qu'un simple schéma, tant il prête attention à l'équilibre des zones et des couleurs. Il espère qu'en réduisant à l'essentiel les composantes de sa toile, en éliminant courbes et couleurs intermédiaires, il pourra générer des constats universels épurés de toute subjectivité. Contrairement aux enlumineurs, il ne dispose pas ses éléments selon une structure géométrique régulière, mais trouve équilibre et harmonie en créant un arrangement étonnamment sensible de larges blocs aux couleurs tranchées.

Si Mondrian cultive des effets de contraste radicaux entre ses couleurs, Josef Albers choisit d'explorer des alliances plus subtiles. Comme Mondrian, il travaille sur ce qui nous apparaît presque comme une forme d'expérience visuelle, mais s'en tient à un nombre de variables strictement limité. Dans des œuvres comme *Hommage au carré* (ci-contre, en bas), il exploite une forme géométrique unique et pure, le carré, ainsi qu'une palette limitée, aux nuances serrées.

Autre résultat, moins humain et plus atypique, celui obtenu par Damien Hirst qui, assistants à l'appui, a créé plus de mille toiles composées de taches entre 1986 et 2011 (page suivante).

Piet Mondrian
Composition en rouge, jaune et bleu, 1930
Huile sur toile,
45 × 45 cm
Zurich, Kunsthaus

En quête d'équilibre et d'harmonie, Mondrian épure la subjectivité en bornant sa peinture à des rectangles blancs bordés de noir, combinés avec des blocs de couleurs primaires.

Josef Albers
Study for Homage to the Square : Departing in Yellow, 1964
Huile sur carton,
76 × 76 cm
Londres, Tate Gallery

Comme Mondrian, Albers apprécie les formes géométriques pures, détachées de l'expérience visuelle ordinaire. Il expérimente des contrastes subtils de nuances, au sein d'un cadre structurel encore plus restreint.

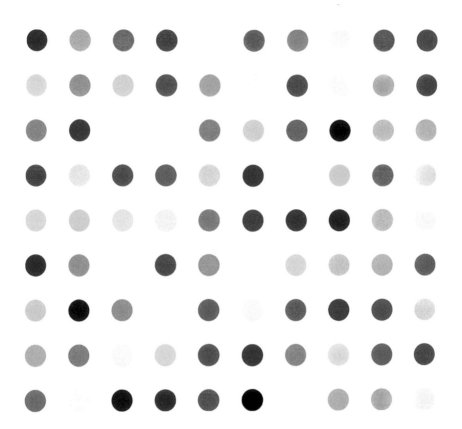

Damien Hirst
Sulfisoxazole, 2007
Peinture laquée sur
toile, 129,5 × 144,8 cm
Collection Mugrabi

**Hirst peint « par
taches », façon
provocante
de mettre en relief
le rapport entre
les motifs faits main
et la mécanisation.
Chaque tache est
peinte manuellement,
mais de façon
à évoquer une
production mécanique.**

Toute trace de fabrication artisanale est effacée, si bien que les toiles semblent avoir été conçues mécaniquement ou, pour citer Hirst, « par quelqu'un qui chercherait à peindre comme une machine ».

Les images ont presque toujours pour support une surface plane : aussi peut-on s'étonner de voir à quel point les artistes ont souligné cette réalité de base. Certes, dès que surgissent des éléments figuratifs – même sous une forme abstraite, comme ceux que nous repérons dans *La Chambre rouge* de Matisse ou dans l'*Acteur de kabuki* (p. 100-101) –, ils suggèrent un tant soit peu volume et profondeur. Seuls quelques artistes se sont obstinés à forger des schémas sans autre fonction que de mettre en valeur une surface plane.

-

Les images ont presque toujours pour support une surface plane : aussi peut-on s'étonner de voir à quel point les artistes ont souligné cette réalité de base.

-

QUESTIONS À SE POSER

Peut-on créer une image convaincante sans jamais évoquer la profondeur ou l'espace ?

Dans un motif décoratif, est-il vrai que seules conviennent les formes courbes ou angulaires ?

Combien d'éléments au minimum un artiste doit-il utiliser pour orner une surface plane, s'il veut produire une peinture intéressante ?

Peut-on susciter l'émotion en utilisant un simple motif sur une surface plane ?

LA TRADITION

-

**En art, même les plus grands novateurs
réagissent à la tradition.**

-

Roy Lichtenstein
Big Painting No. 6, 1965
Huile sur toile,
234 × 328 cm
Düsseldorf,
Kunstsammlung
Nordrhein-Westfallen

Déconcertant
au premier abord,
ce tableau
de Lichtenstein
se comprend mieux
comme une façon
de railler gentiment
la tradition de
l'*Action Painting*, qui
dominait la génération
précédente.

Franz Kline
Vawdavitch, 1955
Huile sur toile,
157 × 203 cm
Chicago, musée
d'Art contemporain

Franz Kline cherche
à faire ressentir l'acte
physique qui consiste
à créer une image, en
utilisant un très grand
pinceau surchargé
de peinture.

En 1965, Roy Lichtenstein peint ce tableau (ci-contre, en haut). À première vue, il est très déconcertant par ces coups de pinceau prodigués sans contrainte et selon l'humeur du peintre. À droite, nous remarquons des taches informes, comme si le pinceau avait été surchargé de peinture et que celle-ci avait un peu « coulé » avant qu'il touche la toile.

Drôle de sujet, me direz-vous ! Et plus encore, vu la façon dont il est peint, car ce coup de pinceau est tout sauf arbitraire et subjectif. Lichtenstein s'est montré aussi précis qu'attentif dans son exécution.

DE QUOI ÇA PARLE ?

En fait, cette toile se veut le commentaire d'un artiste sur l'art. Pour comprendre où il veut en venir, il nous faut observer l'art pratiqué par la génération précédente. À cette époque, le style en vogue est ce qu'on appelle l'Action Painting. Ses pratiquants veulent faire voir l'acte de peindre dans sa réalité concrète, convier le spectateur à partager, indirectement, l'expérience du peintre. C'est ce à quoi s'essaie Jackson Pollock (p. 14) lorsqu'il laisse goutter, lorsqu'il projette ou éclabousse sa peinture sur une toile étendue au sol. Le résultat, outre qu'il produit un motif agréable à regarder, archive la vigueur et les mouvements corporels du peintre en train d'œuvrer à son tableau.

D'autres artistes qui se réclament de l'Action Painting recourent à d'autres techniques et obtiennent un résultat d'aspect quelque peu différent. Ainsi, Franz Kline opère d'une façon plus conventionnelle, avec un pinceau… immense et lesté de peinture. Il le manie spontanément, jetant des traits audacieux à travers une vaste toile, de façon que le spectateur perçoive ses faits et gestes, son processus créatif (ci-contre, en bas). Et c'est bien ce type d'entreprise, où l'action du peintre devient le sujet de l'œuvre, que semble parodier Roy Lichtenstein.

Une fois éclairés, nous apprécions ou déplorons son humour, mais il est clair qu'il nous faut connaître (jusqu'à un certain point) le contexte – la tradition qui précède Lichtenstein et contre laquelle il réagit – pour comprendre un tant soit peu son œuvre.

ŒUVRES ANCIENNES, NOUVEAUX CONTEXTES

Les artistes ne créent pas dans le vide. Ils sont constamment stimulés par d'autres artistes et par les usages du passé. Même lorsqu'ils la critiquent, ils trahissent leur dépendance envers la tradition. Elle est ce terreau qui les fait croître et dont ils tirent

leur substance. Ils le savent et l'admettent sans réserve. Même Lichtenstein a dit : « Les choses que je donne l'impression d'avoir parodiées, en réalité, je les admire. » Les plus grands artistes, les plus originaux, ceux qui étonnent le plus par leurs innovations, sont profondément influencés par la tradition.

Prenons Picasso. Nous avons pu voir l'étendue remarquable de son œuvre : les distorsions qui confèrent une véritable puissance expressive à *Guernica* (p. 70-71), le réalisme délicat de son portrait de Vollard (p. 39), son acuité lorsqu'il révèle le vécu d'un enfant faisant ses premiers pas (p. 54), l'invention formelle qu'atteste son portrait cubiste (p. 38). Or, s'il a un esprit immensément fécond et novateur, il ne retourne pas moins, encore et toujours, se ressourcer auprès de la tradition. En février 1960, il choisit pour s'en inspirer une toile célèbre de Manet, *Le Déjeuner sur l'herbe* (ci-dessus), figurant deux femmes (l'une nue, l'autre en chemise) et deux hommes encore vêtus, qui savourent un pique-nique dans les bois, près d'un ruisseau. Le premier tableau que Picasso consacre à ce thème (ci-contre) est une copie assez fidèle quant au nombre des figures et à leur disposition. Le style, bien sûr, est très nettement distinct. Ce tableau ne marque ni le début ni la fin de l'intérêt de Picasso pour ce thème. En août de la même année,

Édouard Manet
Le Déjeuner sur l'herbe,
1863
Huile sur toile,
207 × 265 cm
Paris, musée d'Orsay

**Ce tableau
montrant des hommes
endimanchés
qui partagent
un pique-nique
avec deux femmes,
l'une nue, l'autre
à moitié dévêtue,
a vivement choqué
les contemporains.**

Pablo Picasso
Le Déjeuner sur l'herbe,
27 février 1960
Huile sur toile,
114 × 146 cm
Zurich, collection
Nahmad

**Picasso, dont
l'aptitude à créer de
nouvelles images était
phénoménale, s'est
souvent ressourcé
en observant des
chefs-d'œuvre : ici,
Le Déjeuner sur l'herbe
de Manet.**

il réalise six dessins d'après *Le Déjeuner sur l'herbe* de Manet. Cette peinture à l'huile (ci-dessus) est la première d'une série : il en fait deux autres le lendemain, puis une quatrième le jour suivant. Il revoit les détails, modifie des éléments (p. 114, en haut), allant parfois jusqu'à changer la composition tout entière. En 1963, il aura produit vingt-sept toiles et plus de cent cinquante dessins à partir du célèbre original de Manet.

Celui-ci (ci-contre) avait fait sensation en 1863, lorsqu'il avait été exposé : il était jugé tout à fait extraordinaire. Or si Manet peint dans son propre style, lui aussi a trouvé l'idée du tableau dans une tradition picturale. Trois de ses quatre figures proviennent d'une gravure (p. 114, en bas) réalisée au XVIᵉ siècle, elle-même la copie d'une composition (à présent perdue) de Raphaël. La gravure montre un groupe de dieux fluviaux, figures secondaires dans cette toile de Raphaël censée illustrer le jugement de Pâris (voir p. 76-77). Elle a disparu, mais la gravure est suffisamment précise pour nous faire voir que Raphaël lui-même, comme d'autres grands artistes, a puisé avec gratitude… dans la tradition. En effet, ses dieux fluviaux sont visiblement inspirés par le fragment mutilé d'un bas-relief figurant sur un sarcophage antique (p. 115) qu'il a dû voir et étudier à Rome.

À gauche, en haut :
Pablo Picasso
Le Déjeuner sur l'herbe,
23 mars 1963
Crayon de couleur
sur page de garde,
37 × 53,2 cm
New York, collection
particulière

**Picasso n'a cessé
de retravailler ses idées
et ses images,
que ce soit les siennes
ou celles d'autrui.**

À gauche, en bas :
Marcantonio Raimondi
Détail du *Jugement de
Pâris* d'après Raphaël,
v. 1510-1520
New York, Metropolitan
Museum of Art

**Ce coin d'une gravure
de Marcantonio
Raimondi, d'après
une toile de Raphaël,
a servi de modèle
à Manet pour
*Le Déjeuner sur l'herbe.***

Il existe des douzaines, voire des centaines d'exemples d'artistes ayant visiblement tiré parti de la riche tradition qui va de pair avec l'art occidental. Ils n'y glanent pas seulement les sujets de leurs œuvres, mais les poses des figures, les techniques utilisées pour suggérer l'espace, les jeux d'ombre et de lumière, l'arrangement des objets, et bien d'autres traits qui envoûtent l'œil ou titillent l'esprit du spectateur. Il n'est pas essentiel que nous ayons toutes ces traditions en tête pour apprécier les images, mais c'est un facteur qui peut rehausser et approfondir notre plaisir visuel.

Ci-dessus :
Artiste romain
Détail d'un sarcophage
romain montrant
des dieux fluviaux, tiré
du *Jugement de Pâris,*
IIIe siècle
Rome, villa Médicis

**Le tableau à présent
perdu de Raphaël,
figurant le jugement
de Pâris et gravé par
Marcantonio Raimondi,
s'inspirait lui-même
d'un sarcophage
de la Rome antique,
dont un coin est
montré ici.**

QUESTIONS À SE POSER

Un artiste peut-il créer une œuvre absolument neuve,
  sans la moindre référence à la tradition ?

S'il y fait référence, trahit-il un manque d'imagination ?

Puiser dans la tradition, est-ce une pratique qui limite
  ou qui libère l'artiste ?

DESSINER, COMPOSER, ORGANISER

-

Les artistes exploitent toute une gamme
de moyens subtils afin de produire l'effet désiré.

-

Parfois, il suffit d'un regard pour que nous ayons une certaine idée de l'image. Henry VIII (ci-dessus) nous paraît d'emblée grandiose et dominant ; Lady Brisco (ci-contre) semble l'élégance même. La difficulté, souvent, tient à savoir pourquoi nous avons formé ces impressions ou comment l'artiste a produit ces effets. Même après un long moment passé à contempler un tableau, il n'est pas facile de trouver des mots aptes à décrire ce que l'on voit, des concepts susceptibles de nous aider à comprendre.

Parfois, le mieux est de regarder l'image en considérant d'abord formes et couleurs, contours, proportions et composition, quitte à laisser de côté, dans un premier temps, le sujet proprement dit. De cette façon, nous remarquons que la figure de Henry VIII remplit une surface bien supérieure à celle qu'occupe la figure en pendant de la délicate Lady Brisco. Henry VIII se campe les pieds écartés et déploie ses épaules, laissant sur la toile peu d'espace vacant, de part et d'autre de ses manches recherchées. Rien d'étonnant

Hans Holbein le Jeune
Henry VIII, v. 1537
Huile sur toile,
239 × 134,5 cm
Liverpool, Walker
Art Gallery

Holbein compose avec succès un portrait de Henry VIII destiné à faire paraître la puissance et la magnificence du monarque.

Thomas Gainsborough
Lady Brisco, 1776
Huile sur toile,
229 × 147 cm
Londres, Kentwood
House

**Gainsborough sait
comme personne
capter l'élégance
de ses mécènes
aristocratiques.**

s'il produit l'impression d'une masse solide : le peintre suggère
qu'une fois présent dans la pièce, il la remplit.

Lady Brisco (ci-dessus) n'occupe pas même la moitié de la
largeur du tableau que Gainsborough a fait d'elle. Il demeure
un vaste pan de toile à sa droite, pour les gambades amicales
du chien et pour la cascade qui ruisselle à travers un vaste paysage,
où les lignes gracieuses d'un jeune arbre svelte font écho à la
silhouette de la dame. Henry VIII, lui, présente des contours fermes,
emplis de couleurs vives : le peintre contrôle son pinceau, arrondit
nettement les formes, soigne minutieusement chaque détail
du splendide costume. Le portrait de Lady Brisco révèle une facture
plus spontanée : avec une palette pâle et fraîche, l'artiste a su
rendre le miroitement de la soie, l'éclat du taffetas, le duvet d'une
plume, plus qu'il n'a calqué au détail près la robe ou le chapeau.
Les contours se fondent imperceptiblement dans le paysage ou
l'arrière-fond. Les coups de pinceau guillerets qui forment le ciel

bigarré de nuages contribuent à cette impression de spontanéité informelle. Derrière Henry, en revanche, il n'y a pas de vue, mais des rideaux de brocard et un mur de marbre vert, tout un luxe soigneusement rendu afin de renforcer l'atmosphère de solennité grandiose. Une fois que nous repérons si la figure est petite ou grande au regard du cadre, si les traits qui la dépeignent sont contrôlés méticuleusement ou légers et libres en apparence, nous percevons mieux comment un peintre peut créer un effet de splendeur écrasante ou suggérer une élégance sans apprêts.

ORDONNER UN GROUPE COMPLEXE DE FIGURES

Au niveau de la composition, une figure solitaire est plus facile à gérer qu'un groupe. En 1475, quand les frères Pollaiuolo peignent *Le Martyre de saint Sébastien*, ils s'interrogent sur la façon de rendre l'histoire claire et convaincante, et, simultanément, de procurer à sa toile un équilibre harmonieux (ci-contre). Afin que le saint apparaisse d'emblée comme la figure majeure, ils situent la scène sur une colline d'où l'on voit s'étendre un paysage sous un ciel lointain. Contre cet arrière-plan, les artistes peignent le corps pâle du saint avec une simplicité et une clarté exquises.

Chevaux, arbres, maisons et hommes armés, dans le paysage déployé par-delà la colline, sont relativement petits et sombres au regard du saint. Sébastien, haut dans l'image, domine ses bourreaux. Ceux-ci sont au nombre de six, et si, au premier coup d'œil, ils semblent disposés sans ordre véritable, il est certain que leurs poses ont été attentivement calculées de façon à se compenser les unes les autres. Au centre, les deux arbalétriers sont montrés de face et de dos dans la même pose, ou peu s'en faut, et ce principe d'inversion s'applique aux archers qui les flanquent dans les angles de gauche et de droite. Ils forment un cercle menaçant autour du saint, qui devient ainsi un centre focal d'attention.

Sautons une quarantaine d'années : Raphaël envisage sans doute des problèmes analogues d'organisation lorsqu'il peint, sur le mur d'une demeure privée de Rome, une fresque montrant la nymphe marine Galatée. Celle-ci vogue dans un chariot fait d'une coquille et mené par des dauphins, et elle est entourée d'autres divinités païennes de second rang (p. 122). Comme Pollaiuolo avant lui, Raphaël veut faire en sorte que l'intérêt se concentre sur la figure principale. Il y réussit, mais de façon tout autre. Il ne place pas Galatée dans la partie supérieure de l'image, pas plus qu'il ne l'isole nettement des deux groupes

Antonio et Piero Pollaiuolo
Le Martyre de saint Sébastien, 1475
Huile sur toile, 291,5 × 203 cm
Londres, National Gallery

Les frères Pollaiuolo s'attaquent à la tâche qui consiste à organiser un tableau peuplé de figures en les disposant avec soin de façon à équilibrer leurs postures.

Raphaël (Raffaello Sanzio, dit)
Galatée, v. 1514
Fresque, 300 × 220 cm
Rome, villa Farnèse

À partir d'une foule d'éléments complexes, Raphaël crée une scène harmonieuse et clairement centrée.

enchevêtrés qui la flanquent. Et pourtant, c'est elle qui retient immédiatement le regard. Cela s'explique en grande partie par la longue draperie rouge vif qui s'enroule autour de son corps et s'envole vers la gauche : la touche de couleur la plus vive du tableau.

-

Le mouvement est compensé par un contre-mouvement.

-

Le tableau de Raphaël paraît plus libre et plus décontracté dans sa composition que celui de Pollaiuolo. Surtout, la figure centrale de Galatée frappe par la vitalité et l'harmonie qui semblent émaner d'elle. Cela tient surtout au fait que si la partie inférieure de son corps et sa tête se déportent vers la gauche, la partie supérieure de son corps et ses bras sont tournés vers la droite : le mouvement est compensé par un contre-mouvement. Mais, dans l'ensemble, les moyens utilisés par les deux artistes ne sont pas si différents. Sur le tableau de Raphaël, trois cupidons tournoient dans le ciel en visant de leurs traits d'amour Galatée : les flèches, pointées vers elle, incitent le spectateur à recentrer son attention sur la nymphe. Les cupidons qui volent à droite et à gauche sont inversés (vus de face et de dos), à l'instar des archers des Pollaiuolo ; celui qui se tient au sommet a pour pendant, peut-être plus subtil, celui qui rase l'eau sous le char de Galatée.

Apprendre à repérer les moyens conçus par les artistes pour obtenir tel ou tel effet nous aide à comprendre un peu mieux pourquoi certaines images nous impressionnent tant. Nous apprécions d'autant plus les œuvres d'art grâce aux analyses formelles comme celles qui, avancées pour les images des pages 118, 119, 121 et 122, nous ont révélé à quel point des peintres ont mobilisé leur attention et leur réflexion pour créer ces images, à première vue parfaitement naturelles.

QUESTIONS À SE POSER

L'organisation des formes et des couleurs aide-t-elle à clarifier le sens d'un sujet ?

Quels moyens un artiste peut-il employer pour tirer un beau motif d'un sujet donné ?

La composition d'une image et son organisation peuvent-elles éveiller l'émotion ?

MONTRER L'ESPACE

-

**Créer l'illusion d'un espace réaliste
est un défi pour l'artiste.**

-

Certains problèmes présentent un défi tenace aux artistes :
entre autres, créer l'illusion d'un espace tridimensionnel sur une
surface plane. Les peintres le négligent parfois. Ainsi, l'auteur
de cette *Annonciation*, enluminée dans un missel allemand
vers 1250 (ci-dessus), ne se souciait guère de savoir si la maison
symbolique dans laquelle il situait la Vierge allait paraître assez
grande pour l'accommoder confortablement, et l'entrée assez
large pour laisser passer l'ange, dont la tunique et les ailes flottent
en partie dans son dos.

**Enlumineur anonyme
(Allemagne)**
L'Annonciation, v. 1250
Tempera, encre, or et
argent sur parchemin,
16,5 × 13,3 cm
New York, Metropolitan
Museum of Art

**Les artistes médiévaux
se focalisent sur
le message transmis
par leurs figures, sans
se soucier de l'espace
qu'elles occupent.**

Fra Angelico
L'Annonciation,
v. 1440-1450
Fresque, 187 × 157 cm
Florence, couvent
San Marco

Fra Angelico place l'ange et la Vierge dans un décor si réaliste qu'il va jusqu'à peindre les armatures nécessaires pour étayer les arches de l'édifice qu'il avait en tête, même si l'image peut se passer de ces détails superflus.

C'est à la Renaissance que la représentation de l'espace devient un enjeu crucial. Pendant la première moitié du XVᵉ siècle, l'architecte italien Brunelleschi formule les règles de la perspective à points de fuite, qu'Alberti, artiste polyvalent, popularise dans son *Traité de la peinture*. Il y explique en termes relativement simples comment un artiste doit s'y prendre pour structurer son tableau en accord avec ces règles. En somme, si ce système garantit d'aboutir à une représentation vraisemblable de l'architecture, c'est que l'architecture peut être représentée de manière vraisemblable.

-

Nous savons exactement à quelle distance de la loggia Marie est assise, et nous voyons le bout de l'aile de l'ange effleurer le côté extérieur de la colonne au premier plan.

-

L'effet produit est cohérent, rationnel : pour apprécier l'influence du traité d'Alberti, il suffit de jeter un coup d'œil au décor choisi par Fra Angelico pour son *Annonciation* (ci-dessus), peinte une décennie environ après la publication de l'ouvrage. Le portique est solide, les figures ont trois dimensions, nous savons exactement à quelle distance de la loggia Marie est assise, et nous voyons

127

le bout de l'aile de l'ange effleurer le côté extérieur de la colonne au premier plan. Tout cela a pu être transmis et acquis ; reste le génie propre à Fra Angelico, qui imprègne la scène d'un silence serein.

MANIPULER L'ESPACE

Rationaliser la représentation de l'espace, voilà le triomphe remporté par les artistes du début de la Renaissance (XVe siècle). Jubilant de leur maîtrise, ils se livrent parfois à des performances virtuoses, où l'image apparaît comme un prolongement réel de la pièce pour laquelle elle a été créée. C'est le cas d'Andrea del Castagno avec une Cène (ci-dessous) peinte pour le couvent Sant'Apollonia vers le milieu du XVe siècle. L'artiste situe l'épisode dans une sorte d'alcôve aux riches panneaux de marbre, apposée à l'arrière du réfectoire où les religieuses prennent leurs repas. Il cherche un rendu aussi vivant que possible, au point d'abaisser la perspective (nous ne voyons pas le plateau de la table, car notre regard est attiré vers le plafond) de façon à l'aligner sur ce que nous verrions si cette « grande table » était bel et bien présente. Bien sûr, cohérence oblige, il a veillé à ce que les objets les plus proches soient plus larges.

Toutefois, ce réalisme appuyé n'est pas sans inconvénients, car la personne la plus en vue sur cette fresque (et qui, dès lors, retient notre regard) n'est pas le Christ, mais le traître Judas. Le Christ et ses disciples sont assis à l'extrémité éloignée de la table, de façon à faire face (comme s'ils les bénissaient) aux religieuses du réfectoire. Judas se détourne d'elles, isolé qu'il est à l'autre bout de la table. Tout cela est entièrement

Andrea del Castagno (Andrea di Bartolo di Bargilla, dit)
La Cène, v. 1445-1450
Fresque, 453 × 975 cm
Florence, couvent
Sant'Apollonia

Andrea del Castagno s'efforce de peindre l'espace occupé par les convives bibliques de la Cène de façon à produire une illusion aussi convaincante que l'espace occupé par les religieuses dans le réfectoire que sa fresque décore.

Léonard de Vinci
La Cène, 1495-1498
Tempera sur gesso
(après restauration),
460 × 880 cm
Milan, église Santa
Maria delle Grazie

**On doit sans doute
à Léonard la vision
la plus mémorable
et la plus plausible
de la Cène jamais
peinte, même si
l'espace montré n'est
pas entièrement
réaliste.**

logique. Mais parfois la logique, loin de résoudre des problèmes artistiques, les crée. Léonard de Vinci, cet inventeur phénoménal, en était conscient : lorsqu'il entame en 1495 sa version de la Cène, autre fresque placée sur le mur d'un réfectoire (ci-dessus), il révise en profondeur sa composition.

-
**Ce chef-d'œuvre, tout en clarté théâtrale,
a transcendé le simple naturalisme.**
-

Nous embrassons d'un coup d'œil la scène tout entière. Au centre, le Christ est encadré par une fenêtre derrière lui ; toutes les lignes de fuite de la perspective architecturale convergent vers sa tête. Il est entièrement isolé de ses voisins, sur un plan spatial et symbolique, car son silence offre un contraste éloquent avec leur bavardage agité. Les apôtres ne sont pas assis sur un seul rang, mais agrégés par groupes de trois. Leur trouble intense est dû à l'annonce du Christ : « L'un d'entre vous me trahira » (Jean 13, 21).

Le Christ est parfaitement immobile après cette déclaration, stase encore accentuée par le triangle équilatéral que forment sa tête et ses bras tendus. Les disciples se lèvent de leur siège, gesticulent violemment ou protestent de leur innocence, surpris par les mots du Christ : la scène s'anime soudain de part en part, unifiée par cette impulsion dramatique. Judas (le quatrième à partir de la gauche), assis du même côté de la table que tous les autres, n'en est pas moins différencié. Alors que saint Pierre se

jette en avant, penché au-dessus de lui par-derrière, Judas est pressé contre la table, la tête détournée, le visage dans l'ombre. Ce chef-d'œuvre, tout en clarté théâtrale, a transcendé le simple naturalisme. L'espace recule de manière trop abrupte, la table est trop courte (il n'y aurait pas assez de place si tous les apôtres tentaient de s'asseoir !), mais, pour beaucoup, c'est la Cène la plus mémorable et la plus satisfaisante que l'on ait jamais peinte.

-
Le Tintoret réussit tous les effets qu'il vise, même les plus inattendus.
-

Vers la fin du siècle suivant (dans les années 1590), le Tintoret peint un autre moment de la Cène (ci-dessus) : l'institution de l'Eucharistie. Le Christ n'est pas assis tranquillement ; il se meut parmi les apôtres pour donner à chacun le Saint Sacrement. À cette époque, la perspective est une technique picturale acquise et le Tintoret réussit tous les effets qu'il vise, même les plus inattendus. Aussi place-t-il la table à l'oblique au lieu de l'aligner sur le plan pictural, si bien qu'elle semble s'éloigner vers le fond. Ce point de vue, aussi surprenant que novateur, fait certes paraître les serviteurs (à droite au premier plan) plus grands que les apôtres attablés et que le Christ lui-même, situé presque à l'autre bout de la table et d'aspect très diminué. Mais

Tintoret (Jacopo Robusti, dit le)
La Cène, 1592-1594
Huile sur toile,
365 × 568 cm
Venise, église San Giorgio Maggiore

Le Tintoret exploite une perspective désormais maîtrisée pour figurer la Cène depuis un angle inattendu.

nous le repérons facilement avec son halo de lumière vive. C'est alors seulement que nous remarquons, malgré la représentation singulière de l'espace, que le Christ demeure au centre de l'image (de la toile en soi, s'entend, et non de l'espace figuré).

DEUX RÉCITS POUR UNE HISTOIRE

La clarté harmonieuse de Léonard ne tente guère le Tintoret, semble-t-il : il a d'autres visées. Observons par exemple son *Miracle des pains et des poissons* (ci-dessous et p. 132). D'après saint Jean, cet épisode se déroule comme suit :

> Levant alors les yeux et voyant qu'une grande foule venait à lui, Jésus dit […] : « Où achèterons-nous des pains pour que mangent ces gens ? » […] Un de ses disciples […] dit à Jésus : « Il y a ici un enfant qui a cinq pains d'orge et deux poissons séchés ; mais qu'est-ce que cela pour tant de monde ? »
> Jésus dit : « Faites s'étendre les gens. »
> Il y avait beaucoup d'herbe en ce lieu. Ils s'étendirent donc, au nombre d'environ cinq mille hommes. Alors Jésus prit les pains, et, ayant rendu grâces, il les distribua aux convives, de même aussi pour les poissons, autant qu'ils en voulaient.
> Quand ils furent repus, il dit à ses disciples : « Rassemblez les morceaux en surplus, afin que rien ne soit perdu. »
> Ils les rassemblèrent donc et remplirent douze couffins avec les morceaux des cinq pains d'orge restés en surplus à ceux qui avaient mangé. (Jean 6, 5-13)

Tintoret (Jacopo Robusti, dit le)
Le Miracle des pains et des poissons,
v. 1545-1550
Huile sur toile,
154,9 × 407,7 cm
New York, Metropolitan Museum of Art

Avec cette image visuellement stimulante, le Tintoret met le spectateur au défi d'identifier le sujet, en plaçant un indice au centre même de sa toile.

Sur le tableau du Tintoret (p. 132 et ci-dessous), l'action n'apparaît pas d'emblée au spectateur. Une foule de gens, du mouvement et de la couleur tant et plus, un sentiment d'excitation diffuse, ressemblant à celle que suscite un miracle.

Notre regard, en quête du Christ, le trouve de fait au centre de l'image, occupé à distribuer énergiquement les pains et les poissons censés nourrir la multitude. Toutefois, étant situé vers l'arrière, il est relativement menu et discret au regard des figures du premier plan.

En concevant ces deux tableaux (p. 130-131 et ci-dessus), le Tintoret a gardé deux critères à l'esprit : d'une part, ils figurent chacun une histoire sacrée à laquelle il faut donner un aspect vraisemblable ; d'autre part, ce sont des motifs peints sur une surface plane. Dans les deux cas, il a situé le Christ au centre même de la toile. Toutefois, pour maintenir une illusion de réalité, il lui a fallu rapetisser cette figure cruciale mais lointaine par rapport aux autres, si bien qu'elle n'impressionne guère d'emblée.

Loin de désespérer, l'artiste – du moins c'est ainsi qu'on l'imagine – a dû s'amuser des contradictions relatives au fait d'avoir un Christ central (selon les conventions) mais difficile à repérer (à l'encontre des conventions). Le Tintoret a pris plaisir à composer une image stimulante sur le plan visuel en exacerbant la profondeur au moyen de diverses techniques, tant pour étoffer un réalisme factice que pour déconcerter le spectateur.

Cette attitude est à l'opposé de celle qui motivait les premiers chrétiens lorsqu'ils façonnaient des mosaïques pour orner leurs églises et instruire les fidèles (p. 11). L'une d'elles, reproduite

Tintoret (Jacopo Robusti, dit le)
Détail du *Miracle des pains et des poissons*, v. 1545-1550 (page précédente)

Artiste byzantin, inconnu
Le Miracle des pains et des poissons,
VIe siècle
Mosaïque
Ravenne, église
Sant'Apollinare Nuovo

Présenter l'histoire de manière claire et sans équivoque, tel est le souci premier des artistes chrétiens de l'Antiquité.

ci-dessus, illustre elle aussi le Miracle des pains et des poissons. Son auteur n'a pas cherché à suggérer espace ou profondeur, mais à conférer au Christ une présence visible et imposante. Situé au centre, le Christ domine les apôtres alignés de part et d'autre tandis qu'il leur remet les provisions à distribuer. La « multitude » (qui joue un rôle majeur dans la peinture du Tintoret) n'a ici qu'une présence implicite, mais le sens du miracle qui va s'accomplir est clair.

QUESTIONS À SE POSER

Est-il nécessaire de montrer un espace plausible pour créer une image convaincante ?

Peut-on manipuler l'espace de façon à produire des effets spectaculaires ?

Créer un espace rationnel, est-ce une garantie que le sujet et sa signification apparaîtront clairement ?

L'ANALYSE FORMELLE

-

**Une approche comparative aide à discerner
les particularités de style.**

-

Raphaël (Raffaello Sanzio, dit)
La Vierge à l'Enfant trônant avec saints (Retable Colonna), v. 1504-1505
Huile sur bois,
172,4 × 172,4 cm
New York, Metropolitan Museum of Art

Interprète évident de l'art de la Renaissance à son sommet, Raphaël définit clairement les figures individuelles, les arrange dans une série de plans parallèles et confine la scène entière, baignée d'une lumière uniforme, à l'espace défini par le cadre.

L'analyse formelle est souvent ce qui aide à mieux comprendre et à mieux apprécier une œuvre d'art dès lors qu'on l'observe en fonction non pas du sujet ou des techniques employées, mais de concepts purement formels. L'un des analystes les plus accomplis se nomme Henrich Wölfflin. Au début du siècle dernier, après de nombreuses années passées à étudier l'art de la haute Renaissance (début du XVIᵉ siècle) et celui de l'ère baroque (XVIIᵉ siècle), il a forgé une série de principes destinés à caractériser les différences entre ces deux périodes. Si le travail de Wölfflin est précieux, c'est qu'il a généré des catégories objectives et impartiales, formant un système grâce auquel nous pouvons articuler certaines de nos observations, vouées, sinon, à rester générales et imprécises.

Ce qu'il nous faut peut-être commencer par établir, avant d'appliquer pour de bon les théories de Wölfflin aux images, c'est que ses concepts vont par deux. Les catégories analytiques qu'il propose ne sont pas absolues mais comparatives. Prenons deux toiles représentatives, l'une de la Renaissance (le *Retable Colonna* de Raphaël, vers 1504-1505, ci-contre), l'autre du style baroque (*La Sainte Famille avec saint François* de Rubens, peint dans les années 1630, page suivante).

LINÉAIRE/PICTURAL

Notre premier couple de concepts oppose « linéaire » à « pictural ». Par *linéaire*, Wölfflin entend que l'ensemble des figures et des formes significatives qu'elles comprennent ou qui les entourent présente un tracé net, comme sur la toile de Raphaël (ci-contre). Les contours de chaque élément solide, humain ou inanimé, sont sans équivoque ; chaque figure, éclairée de façon uniforme, ressort à la façon d'une sculpture. Au contraire, le tableau de Rubens (page suivante) est *pictural*. Les figures ne sont pas éclairées de manière uniforme mais comme fusionnées. La lumière forte provient d'une seule direction : elle révèle certains éléments et enténèbre les autres. Les contours se fondent dans les ombres ; la précipitation du tracé floute la démarcation entre les parties qui devaient rester isolées. Chez Raphaël, chaque figure exhibe une silhouette merveilleusement achevée ; chez Rubens, Joseph (à l'extrême droite) est à peine visible, hormis son visage.

PLAN/PROFONDEUR

Le couple suivant de concepts oppose le « plan» à la « profondeur».
Les éléments du tableau peuvent être disposés sur une suite de
plans distincts et superposés, toujours parallèles au plan pictural
(la surface même du tableau). Sur la toile de Raphaël (p. 136),
les deux saints définissent le premier plan. Le suivant est occupé
par les deux saintes postées derrière eux ; le plus reculé, par le
drap d'honneur tendu derrière la Madone. Au total, trois plans,
tous parallèles.

Tout autre est le tableau de Rubens (ci-dessus), car il est
structuré en profondeur. Sa composition est régie par les figures
placées à l'oblique du plan pictural, qui reculent en profondeur.
Elles s'enfoncent depuis le premier plan, déterminé à l'extrême
gauche par saint François. Celui-ci s'avance vers la Madone (un peu
plus loin), dont la mère, Anne, recule elle aussi dans son dos, sur
une diagonale opposée. Ce principe structural – plans parallèles
ou lignes obliques reculant en profondeur – vaut aussi pour telle
ou telle partie de l'œuvre. Il suffit de comparer la position des deux
enfants : chez Raphaël, ils sont sur des plans séparés, échelonnés,

Pierre Paul Rubens
*La Sainte Famille
avec saint François*,
années 1630
Huile sur toile,
176,5 × 210 cm
New York, Metropolitan
Museum of Art

Rubens conçoit un arrangement dynamique, où ses figures reculent dans l'espace, en partie cachées par des ombres, parfois coupées par le cadre : c'est là une approche typiquement baroque d'un thème similaire.

alors que chez Rubens ils se rejoignent dans un mouvement continu qui compose l'espace pictural.

FORME FERMÉE / FORME OUVERTE

Le nouveau couple de concepts oppose « forme fermée » à « forme ouverte ». Dans la *forme fermée* du tableau de la Renaissance (p. 136), toutes les figures occupent l'espace défini par le cadre. Sa forme et sa fonction (délimiter) dictent les lignes verticales et horizontales sur lesquelles se fonde la composition. Ainsi, les figures latérales des saints bornent l'image avec de forts accents verticaux ; ceux-ci se répètent dans les accents verticaux formés par les corps des saintes et, au centre, par le trône lui-même. Les accents horizontaux apparaissent dans les marches du trône, en écho à la bordure inférieure du cadre, et dans le baldaquin qui le surplombe, bornant l'image au sommet. Le tableau est entièrement autonome. Il émane de cette *forme fermée* une impression de stabilité et d'équilibre, car elle tend vers un arrangement symétrique (même si, bien sûr, il n'est pas rigide : notons l'alternance des profils et des visages entiers chez les couples latéraux de saints et de saintes).

Dans la *forme ouverte* du tableau baroque (ci-contre), les diagonales vigoureuses contrastent avec les verticales et les horizontales du cadre. Ces lignes, si elles jouent à la surface de la toile, reculent aussi bien vers un point de fuite. Le cadre ne se borne pas à contenir les figures, il les coupe sur le côté. Il en résulte une impression d'espace illimité, prolongé au-delà des bordures. La composition est dynamique plutôt que statique : elle évoque le mouvement, et elle est saturée d'effets momentanés, par opposition à la calme stabilité du tableau de la Renaissance.

MULTIPLICITÉ ET UNITÉ

Enfin, « multiplicité » et « unité » forment le plus évident des doublets, puisqu'en art tous les chefs-d'œuvre sont unifiés d'une façon ou d'une autre. Ce qu'entend par là Wölfflin, c'est que la toile de la Renaissance se compose de parties distinctes, chacune arrondie dans un style sculptural qui la particularise, comme la couleur unique qui la remplit. Sur la toile baroque, l'unité est davantage travaillée : elle procède de la lumière, intense et orientée. Voyez l'image ci-contre : toutes les unités – elles sont nombreuses – se fondent en un tout singulier, sans qu'on puisse les isoler. Les couleurs se fondent et se mêlent, et leur nuance tient essentiellement à la façon dont la lumière les frappe. Ainsi, la robe rouge de la Madone n'est véritablement rouge que sur certains pans ; d'autres sont plongés dans une ombre qui produit une teinte obscure, grisâtre. Ce que l'on ne retrouve guère dans le manteau du saint placé à l'extrême droite sur le tableau de Raphaël (p. 136). La lumière homogène et diffuse de cette toile de la Renaissance permet d'isoler chaque élément, puis de les équilibrer entre eux.

Vous aurez remarqué que les diverses caractéristiques attribuées par Wölfflin au tableau de la Renaissance sont corrélées : la lumière diffuse autorise des contours nets, un modelé sculptural, des éléments isolés et des couleurs locales distinctes. De même, dans le tableau baroque (p. 138), la lumière intense, unidirectionnelle, accentue l'unité qui émane des diagonales parcourant en continu les surfaces et reculant en profondeur ; cette lumière fusionne les formes et altère les couleurs locales. Certes, une telle corrélation est prévisible, car chaque style est cohérent et la division en catégories (linéaire, planaire, etc.) n'est là que pour servir l'analyse.

Raphaël (Raffaello Sanzio, dit)
L'École d'Athènes,
1509-1511
Fresque
Rome, musées et galeries du Vatican,
Stanza della Segnatura

L'École d'Athènes de Raphaël affiche les mêmes principes de composition que sa *Vierge* avec saints.

ANALYSE DES GROUPES COMPLEXES

Voyons dans quelle mesure ces catégories s'appliquent à une autre paire de tableaux : *L'École d'Athènes* de Raphaël (ci-contre, en haut), porte-parole de la Renaissance, et, pour le baroque, *La Ronde de nuit* de Rembrandt (ci-contre, en bas) [en réalité, un portrait de groupe très original, à l'image de celui qu'illustrent les images en p. 33]. Ces deux compositions rassemblent de nombreuses figures, mais elles se prêtent aussi bien aux théories de Wölfflin.

Rembrandt Harmensz. Van Rijn
La Ronde de nuit (La Compagnie du capitaine Frans Banning Cocq),
1642
Huile sur toile,
379,5 × 453,5 cm
Amsterdam,
Rijksmuseum

-
La Ronde de nuit de Rembrandt est parcourue de diagonales.
-

Dans *L'École d'Athènes*, figures et éléments d'architecture sont clairs et isolés (*linéaires*), tandis que dans *La Ronde de nuit* ils ressortent dans un éclairage vif ou sont au contraire profondément obscurcis par les ombres (*picturaux*). Chez Raphaël, les groupes de figures et, surtout, le cadre architectural tout entier, avec ses quatre marches bien distinctes et son enfilade d'arches, est manifestement *planaire* ; chez Rembrandt, le mouvement oblique en avant et vers la gauche des deux figures principales, voire la diagonale que dessine la bannière, introduisent une *profondeur* visible. Le cadre structural de Raphaël dans *L'École d'Athènes* est sous-tendu par

La Ronde de nuit de Rembrandt, quoique rognée sur les bords, fait voir le rendu baroque et théâtral d'une scène complexe.

les horizontales emphatiques des marches, contrastant avec les verticales des figures debout et des murs porteurs (*forme fermée*), alors que *La Ronde de nuit* de Rembrandt est parcourue de diagonales (voyez l'homme sur la gauche, dont le fusil dessine une ligne parallèle à celle de la bannière derrière lui. Même le tambour, à l'extrême droite, est incliné de façon à être tenu à la verticale). Le tableau de Rembrandt, dans sa forme actuelle, a été raccourci : rien de surprenant, dès lors, si les figures sont coupées sur les bords. Toutefois, même dans son état premier, il se conformait à la définition de la *forme ouverte* par Wölfflin. Il va sans dire que *multiplicité* et *unité* peuvent apparaître comme les conséquences de tout ce que nous avons observé jusqu'ici.

Giovanni Bellini
Le Doge Leonardo Loredan, v. 1501-1502
Huile sur bois,
61,6 × 45,1 cm
Londres, National Gallery

Il est possible de retrouver les principes de composition de la Renaissance dans une figure unique : ainsi, ce portrait imposant, par Bellini, d'un doge vénitien.

Jan Vermeer
La Dentellière,
v. 1669-1670
Huile sur toile tendue
sur panneau,
24 × 21 cm
Paris, musée du Louvre

**Les principes
de composition
baroques régissent
ce portrait intime
d'une jeune fille
absorbée par sa
tâche délicate.**

ANALYSE DES FIGURES UNIQUES

Les catégories de Wölfflin s'appliquent aussi aux figures uniques :
il suffit de regarder côte à côte ce doge de la Renaissance,
Leonardo Loredan, peint par Bellini (ci-contre), et *La Dentellière*
baroque de Vermeer (ci-dessus). Notons la bordure solide,
horizontale, au bas du portrait de Bellini, la verticale affirmée
de la tête, tenue bien droite (les yeux alignés, la bouche traçant
une ligne droite, le nez vertical), le buste qui s'inscrit dans un
plan parallèle au plan pictural. Comparons ces traits avec ceux
de la dentellière, assise à l'oblique et dont une épaule recule en
profondeur. Elle penche la tête, si bien que la ligne de ses yeux est
inclinée vers le bas et la gauche. La lumière, tombant de la gauche,
unifie le tableau dont elle éclaire le côté gauche, le côté droit
disparaissant dans l'ombre.

AUTRES ANALYSES

Wölfflin et ses catégories sont toujours utiles pour comparer
la manière dont artistes baroques et artistes de la Renaissance

Titien (Tiziano Vecellio, dit)
Vénus et Adonis,
v. 1553
Huile sur toile,
107 × 133,5 cm
New York, Metropolitan
Museum of Art

Pour illustrer l'histoire de Vénus et d'Adonis, Titien dépeint Adonis en chasseur que Vénus s'efforce de retenir. Adonis a deux chiens avec lui, tandis que le petit dieu d'Amour (Cupidon) se tient près de Vénus.

Pierre Paul Rubens
Vénus et Adonis,
v. 1635 ou plus tard
Huile sur toile,
197,5 × 243 cm
New York, Metropolitan
Museum of Art

Rubens utilise les mêmes éléments que Titien mais il les dispose autrement, en accord avec l'exubérance du goût baroque.

traitent le même sujet : pour l'exemple, *Vénus et Adonis* peints par Titien (ci-contre, en haut) et par Rubens (ci-contre, en bas). Sur les deux tableaux, Vénus s'agrippe à Adonis, qu'elle implore de ne pas partir à la chasse ; Adonis a deux chiens de chasse avec lui ; Vénus a son fils, Cupidon. Mais ces éléments sont disposés différemment : voyez-vous à quel point les critères de Wölfflin conviennent ici ? Ils sont valides parce qu'ils sont objectifs. Certes, Wölfflin les a créés afin de cerner les caractéristiques de deux mouvements artistiques (Renaissance et baroque), mais ils conservent leur efficacité une fois appliqués à un champ bien plus vaste. Ainsi, le *Portrait de madame Récamier* par David (p. 146), de style néoclassique, affiche les qualités que Wölfflin attribue à la Renaissance : David, il est vrai, ressuscite jusqu'à un certain point cette esthétique dans son œuvre. Sa toile apparaît comme *linéaire* à tous égards. Figure et mobilier sont dotés d'un contour net et d'un éclairage uniforme, qui leur confèrent une clarté quasi sculpturale. L'arrangement est *planaire*.

-

Appliquer ces catégories analytiques neutres nous permet d'aiguiser notre regard et de percevoir la structure d'une œuvre.

-

Voyez comme Mme Récamier, inclinée sur son sofa, est parallèle au plan pictural ; cela vaut aussi pour la lampe antique, au pied svelte et longiligne. La *forme fermé*e de ce portrait austère apparaît dans les éléments épars et sobres, insérés sans heurt au sein du cadre, tandis que les nombreuses verticales (pied de lampe, jambes du sofa, tête de la dame) dominent la composition. Par contraste, *L'Escarpolette* de Fragonard (p. 147), dans le style dit rococo, possède des caractéristiques héritées du baroque. Une lumière forte tombe sur la charmante créature qui se balance ; elle trahit le visage et les bras de son admirateur, tapi dans les buissons à gauche. Le bas de son corps se fond dans le feuillage ; de même, le serviteur qui pousse l'escarpolette (à droite) est à peine visible dans l'ombre. C'est là un traitement *pictural*.

La composition s'appuie sur un mouvement de fuite : du premier plan à gauche vers la distance moyenne à droite, les formes reculent. La toile est parcourue de vigoureuses diagonales (la posture de l'admirateur, les bras et le chapeau de la dame, les cordes de l'escarpolette), tandis que la verdure déchaînée ne se laisse pas confiner par le cadre. Tous ces aspects désignent une *forme ouverte*.

Appliquer ces catégories analytiques neutres nous permet d'aiguiser notre regard et de percevoir la structure d'une œuvre. Nous saisissons mieux la façon dont David a su doter son modèle d'une dignité sereine, tandis que Fragonard, avec le même succès, imprégnait d'une vivacité spontanée son charmant sujet.

QUESTIONS À SE POSER

Les catégories de Wölfflin font-elles sens pour vous ?

Est-il utile de comparer différents styles ?

D'après vous, y a-t-il d'autres aspects formels qui donnent une cohérence à un style par opposition à un autre ?

Ces qualités formelles sont-elles essentielles à un bon tableau ?

Jacques Louis David
Portrait de madame Récamier, commencé en 1800
Huile sur toile,
174 × 244 cm
Paris, musée du Louvre

Les peintres néoclassiques tel David appliquent les principes de composition de la Renaissance.

Jean Honoré Fragonard
L'Escarpolette,
v. 1768-1769
Huile sur toile,
81 × 64 cm
Londres, Wallace Collection

Le caractère informel, rococo, de ce charmant tableau de Fragonard doit beaucoup aux principes baroques de composition.

SIGNIFICATIONS CACHÉES

-

**Les symboles déguisés peuvent approfondir
la signification d'une image.**

-

Jan Van Eyck
Les Époux Arnolfini,
1434
Huile sur panneau,
82,2 × 60 cm
Londres, National
Gallery

**Les historiens de l'art
ont pu établir que
de nombreux objets
ordinaires figurant
dans ce tableau sont
en réalité des symboles
cachés, qui confèrent
une dimension
spirituelle à cet
intérieur paisible.**

Si vous voulez prendre un simple plaisir à regarder une image, le mieux est de sélectionner le double portrait par Jan Van Eyck de Giovanni Arnolfini et de son épouse, conservé à la National Gallery de Londres. De moins d'un mètre de haut, il est d'une facture exquise, d'une palette radieuse, et comporte une myriade de détails captivants.

Les murs de cette pièce confortable et bien meublée sont coupés abruptement par le cadre ; ils semblent se projeter en avant, comme pour nous inviter à entrer et nous inclure dans la scène. Nous voici encouragés à nous rapprocher, et par l'échelle réduite de l'œuvre, et par l'abondance de détails dans chaque partie restituée par le peintre : douceur de la fourrure, éclat du métal poli, sculptures délicates des charpentes. Ce sentiment d'intimité est rehaussé par le jeu subtil de lumière qui, non content de clarifier, unifie : il confère un aspect quasi mystique à l'image. Car, en dépit de son réalisme précis, il émane de cette peinture une aura magique, ou du moins spirituelle. Il semble que cet intérieur agréable et ces objets d'apparence banale recèlent une signification plus profonde.

De fait, ce portrait est saturé de sens. Cela n'est pas la représentation ordinaire d'un homme et d'une femme, mais le portrait d'un sacrement religieux : le mariage. En tenant la main de la jeune femme dans la sienne, tandis qu'il élève l'autre dans un geste de serment, Giovanni Arnolfini s'engage auprès de son épouse. Elle-même, plaçant sa main dans la sienne, lui rend la pareille. Ces vœux réciproques, malgré l'absence du clergé, tenaient entièrement lieu de cérémonie nuptiale à l'époque (en 1434).

-

Ce portrait est saturé de sens.

-

Même s'ils n'étaient pas strictement nécessaires, il y avait des témoins à ces noces, et le tableau lui-même, jusqu'à un certain point, sert d'archive attestant le mariage. Au-dessus du miroir pendu au mur entre les époux, le peintre a fait acte de présence en inscrivant, d'une écriture formelle et fleurie *Johannes de Eyck fuit hic* (Jan Van Eyck fut ici) ainsi que la date (p. 152, en haut). Scrutant le miroir convexe, nous y voyons le reflet de l'entrée qui fait face au couple et où se tiennent deux témoins (p. 152, en bas). Mais ce n'est pas seulement la scène intégrale qui fait montre de cohérence : chaque détail est porteur de sens. Dans le chandelier,

Jan Van Eyck
Détail de l'inscription
« Johannes de Eyck fuit
hic » (Jan Van Eyck fut
ici) sur le tableau *Les
Époux Arnolfini*, 1434
(p. 150)

**La signature datée
du peintre au-dessus
du miroir indique sa
présence au mariage
en tant que témoin.**

Jan Van Eyck
Détail (miroir) des
Époux Arnolfini, 1434
(p. 150)

**Ce miroir, à l'arrière
des époux, reflète le
décor qui se trouve
devant eux, et, entre
autres, les deux figures
qui se tiennent à
l'entrée. Son cadre
est orné de dix scènes
empruntées à la
Passion (les dernières
heures de Jésus avant
sa mort) ainsi qu'à la
Résurrection.**

une seule bougie est allumée : éclairage inutile en plein jour, mais symbole du Christ qui voit tout et dont la présence sanctifie le mariage. Plus qu'un simple animal de compagnie, le petit chien est un emblème de fidélité. Les perles de cristal pendues au mur et le miroir immaculé signifient la pureté, tandis que les fruits sur le coffre et l'appui de la fenêtre rappellent l'innocence d'Adam et Ève avant le péché originel. Même le fait que les deux personnes sont pieds nus (les sandales de l'homme sont à droite au premier plan, celles de la femme au centre à l'arrière-plan) fait sens : tous deux ont retiré leurs chaussures parce qu'ils se trouvent dans un lieu sacré.

Ces symboles cachés sanctifient l'image.

Il apparaît dès lors que l'image est pleine de symboles, au-delà de ceux que nous avons relevés. Ils ne sont pas faciles à identifier, car ils se cachent derrière des objets parfaitement naturels à première vue. Néanmoins, ces symboles cachés sanctifient l'image : celle-ci n'est plus une simple scène de genre ou un double portrait, la représentation séculaire d'apparences naturelles, mais reflète un instant solennel, religieux, empreint de la présence divine.

Ce symbolisme caché caractérise l'art flamand de cette époque : on le trouve dans d'autres œuvres de Van Eyck et chez ses contemporains. Des toiles antérieures foisonnaient déjà de symboles explicites et sans équivoque. Les artistes du XVe siècle veulent réaliser des images plus réalistes : aussi optent-ils pour ces symboles cachés, comme ceux que nous venons de désigner, afin d'élever l'étude de la nature en une pratique plus spirituelle.

Ce tableau se distingue par ses aspects remarquables, mais nous rappelle utilement qu'une image peut souvent se révéler beaucoup plus complexe qu'elle n'apparaît au premier coup d'œil.

QUESTIONS À SE POSER

En découvrant la portée symbolique des objets peints, appréciez-vous davantage le tableau ?

Son sens dépend-il des éléments symboliques qu'il contient ?

Le tableau produit-il encore un effet si nous ignorons presque tout de son sens symbolique ?

LA QUALITÉ

-

**Un grand artiste transforme
une scène conventionnelle.**

-

Taddeo Gaddi
*La Rencontre de
Joachim et d'Anne
à la Porte dorée*, 1338
Fresque
Florence, église
Santa Croce

**Taddeo Gaddi s'est
visiblement appliqué
à représenter la
rencontre de Joachim
et d'Anne, en flanquant
le couple de figures
emblématiques et
en ajoutant une vue
de la ville au-dessus
du rempart.**

Être artiste, c'est être en lutte avec son art. Outre que les matériaux employés peuvent être malaisés, voire imprévisibles, la difficulté essentielle consiste à trouver le moyen de faire voir exactement par la peinture, le fusain, la mosaïque ou le verre ce que l'on veut dire à travers la forme qu'on envisage. Il est rare qu'un artiste réalise un chef-d'œuvre, et lorsqu'il y parvient, c'est un accomplissement inouï.

Souvent, l'artiste peut s'aider de la tradition. Il existe telle ou telle façon admise de conter telle ou telle histoire bien connue : un peintre n'est pas forcé de concevoir à lui seul tous les éléments picturaux. Ainsi, de nombreux tableaux du xive siècle illustrent la légende touchante d'Anne et de Joachim, parents de la Vierge Marie. Tous deux ont vieilli sans avoir d'enfant, à leur grand chagrin. Après de longues années de souffrance et de prières, leur souhait est enfin exaucé. Un ange vient trouver Joachim alors qu'il garde ses troupeaux pour lui dire qu'il va enfin devenir père ; pendant ce temps, un autre visite Anne en son jardin pour lui annoncer la même nouvelle miraculeuse. Le couple âgé rend grâces pour cette réponse inattendue à leurs prières, puis chacun se met en quête de

Giotto di Bondone
*La Rencontre de
Joachim et d'Anne
à la Porte dorée,*
v. 1303-1305
Fresque
Padoue, chapelle des
Scrovegni (Arena)

**Giotto ne se borne pas
à peindre la rencontre
physique de deux
personnes : il réussit à
montrer la tendresse et
la joie qu'exprime leur
étreinte chaleureuse.**

l'autre en toute hâte. Joachim quitte ses pâtures, Anne se précipite hors de chez elle, et tous deux se retrouvent devant la Porte dorée de la ville. C'est l'instant de bonheur que les peintres choisissent habituellement d'illustrer.

Taddeo Gaddi donne de cette scène (ci-contre) une interprétation solide, équilibrée, attentive : bien plus qu'une simple illustration. Anne et Joachim, plus ou moins au centre de l'image, se tendent les mains avec tendresse et se regardent intensément. Derrière eux, la muraille de la ville isole leurs deux têtes, entourées d'un halo. Sur la gauche, la figure d'un berger signale que Joachim s'en revient des champs, tandis que les femmes derrière Anne montrent qu'elle sort tout juste de la ville.

Mais un grand artiste comme Giotto transcende cette scène conventionnelle en une scène beaucoup plus profonde et plus émouvante (ci-dessus). Si les deux figures principales ne sont pas au centre, les lignes de la composition guident inexorablement notre regard vers le cœur émotionnel de l'histoire. Tout doucement, ils s'embrassent. La courbe de cette étreinte chaleureuse, si étroite que les deux figures se fondent en un seul contour, est reprise et magnifiée dans la grande arche de la porte, à droite ; la forme architecturale elle-même accroît notre appréciation du contenu. Que Giotto ait profondément médité la nature de cette étreinte apparaît dans la façon dont il en dépeint une autre, destinée à la même chapelle, alors qu'elle est marquée par une différence terrible. Il s'agit du *Baiser de Judas* (ci-dessous). Dans *La Rencontre de Joachim et d'Anne*, l'étreinte est mutuelle : chacun enveloppe l'autre de ses bras, dont la courbe harmonieuse, le cercle tendre, se retrouve dans les deux halos entrecroisés au-dessus (ci-contre, à gauche). Rien à voir avec le baiser perfide de Judas ! Là, aucune réciprocité, car le traître engouffre dans son manteau un Christ qui l'endure passivement. Leurs têtes ne se chevauchent pas ; elles sont entièrement séparées, alors qu'un regard tendu passe entre les deux hommes, tous deux étant conscients de ce qui vient de se produire (ci-dessous). Derrière eux, des lances se hérissent et leurs

Giotto di Bondone
La Trahison (Le Baiser de Judas), v. 1303-1305
Fresque
Padoue, chapelle des Scrovegni (Arena)

Contrastant avec la paix et l'harmonie qui dominent la rencontre de Joachim et d'Anne, le baiser de Judas a lieu dans un décor empreint de tension, d'agressivité et de violence naissante.

Ci-dessus, à gauche :
Giotto
Détail (têtes de Joachim et d'Anne) de la fresque illustrée p. 157

Ci-dessus, à droite :
Giotto
Détail (têtes du Christ et de Judas) de la fresque ci-contre

lignes saillantes traversent le ciel à l'arrière-plan, signes éloquents des événements cruels à venir, comme l'arche de la Porte dorée reflétait l'harmonie de l'événement qui avait lieu devant elle.

Ce qui fait toute la singularité de Giotto, ce n'est pas juste qu'il montre les diverses façons dont un baiser se donne et se reçoit, ni sa façon subtile d'enrichir le contenu par le biais de l'arrière-fond, ni même sa mise en regard brillante de deux scènes pourtant si contrastées… même si tous ces critères y pourvoient. Acuité et doigté, précision du jugement et profondeur de l'intuition ne sont que certaines qualités parmi toutes celles qui différencient les grands maîtres des bons artistes.

DEUX RÉCITS POUR UNE SCÈNE

Un vénérable vieillard, aux forces diminuées, n'y voit qu'à demi alors qu'il bénit sa descendance avant de mourir. Voici une scène biblique touchante, empreinte d'humanité quotidienne, de celles qui séduisaient notamment les peintres hollandais du XVIIe siècle. Govert Flinck (page suivante) montre ainsi Isaac bénissant Jacob. Isaac désirait en fait bénir son fils aîné, Ésaü, un chasseur caractérisé par sa peau velue, mais sa femme Rébecca s'est arrangée pour que la bénédiction aille au fils cadet, Jacob. « Avec la peau des chevreaux, elle lui couvrit les bras et la partie lisse du cou » (Genèse 27, 16) afin qu'Isaac, le palpant, le confonde avec Ésaü le velu : une ruse couronnée de succès. Flinck transforme les « peaux des chevreaux » en une paire de gants élégants, un

point d'importance mineure. Il concentre son énergie picturale
sur le message premier : Rébecca, présence apaisante à l'arrière-
plan, désireuse de voir la tromperie aboutir ; Jacob, agenouillé,
enthousiaste et tendu ; Isaac, faible et quasi aveugle, déconcerté
alors qu'il touche la main de son fils et marmonne à part soi « La
voix est celle de Jacob, mais les bras sont ceux d'Ésaü ! » (Genèse
27, 22) tout en levant une main résignée pour le bénir.

Une histoire complexe, racontée subtilement ; une belle œuvre
d'art, mais non pour autant un chef-d'œuvre.

Rembrandt a traité un thème similaire : *Jacob bénissant les fils
de Joseph* (ci-contre). Jacob, devenu vieux à présent, est au seuil
de la mort. Il se réjouit d'avoir devant lui non seulement son fils
(longtemps perdu), Joseph, mais aussi ses deux petits-enfants. Il a
demandé à Joseph de les faire s'approcher afin qu'il les embrasse
et leur donne sa bénédiction. Il place sa main droite sur la tête
d'Éphraïm, le plus jeune. Joseph, contrarié, relève l'erreur et…
« Il saisit la main de son père pour la détourner de la tête
d'Éphraïm […] » (Genèse 48, 17). Mais Jacob sait ce qu'il fait, et
il insiste pour bénir le cadet. Dans le récit de l'Ancien Testament,
les personnages sont un peu bourrus :

> Et Joseph dit à son père : Pas comme cela, père, car c'est
> celui-ci l'aîné : mets ta main droite sur sa tête.
> Mais son père refusa et dit : Je sais, mon fils, je sais […]. (Genèse
> 48, 18-19)

Govert Flinck
Isaac bénissant Jacob,
v. 1638
Huile sur toile,
117 × 141 cm
Amsterdam,
Rijksmuseum

**En Hollande, il était
rare que l'Église
commandite des
peintures sacrées,
mais les bourgeois,
protestants pour la
plupart, étaient friands
de scènes bibliques
tirées de l'Ancien
Testament.**

Rembrandt Harmensz. Van Rijn
Jacob bénissant les fils de Joseph, 1656
Huile sur toile,
173 × 209 cm
Kassel, Staatliche Museen Kassel

Avec cette simple histoire, Rembrandt découvre et révèle tout un univers de sentiments humains.

Dans le tableau de Rembrandt, tout est tendresse. Avec un tact infini, Joseph cherche à guider la main du vieil homme à moitié aveugle ; les deux petits garçons se nichent parmi les couvertures du lit. Leur mère se tient discrètement sur le côté. Quels trésors d'humanité, de douceur et d'amour concentrés dans ce tableau paisible !

Un bon peintre sait composer son image, exploiter une palette subtile ou audacieuse, en optant pour des dissonances tonales, et demeure conscient de la tradition, de ses forces et de ses limites. Son œuvre peut plaire et satisfaire, comme elle peut surprendre, élargir notre compréhension d'un thème, enrichir notre perception de la forme. Un grand peintre, grâce à son talent miraculeux, nous ouvre un univers entièrement inédit, sensoriel et visionnaire.

QUESTIONS À SE POSER

Certaines œuvres sont-elles meilleures que d'autres ?
Quels sont les éléments qui distinguent une bonne toile d'une grande ?
La qualité peut-elle s'enseigner ?

GLOSSAIRE

Action Painting
Style pictural en vogue aux États-Unis dans les années 1940 et jusqu'au début des années 1960. Il consiste à éclabousser, à laisser goutter ou à étaler de la peinture sur la toile de façon à rendre sensible l'acte physique de peindre. Parmi ses praticiens de renom, Jackson Pollock et Franz Kline (voir p. 14 et 110 ; pour une parodie de ce style, voir p. 110, en haut).

Adonis
Dans la mythologie classique, beau jeune homme aimé de la déesse Vénus, mais condamné à périr à la chasse (voir p. 144, en haut et en bas).

Adoration des bergers, l'
Selon la tradition chrétienne, lors de la Nativité, un ange du Seigneur annonce à quelques bergers que leur sauveur (Jésus-Christ) est un nouveau-né couché dans une mangeoire. Une nuée de créatures célestes apparaît alors aux bergers, lesquels se mettent en quête de l'enfant pour l'adorer. Pour les artistes, c'est l'occasion de développer le contraste entre des hommes simples, vêtus de façon rustique, et la troupe céleste aux habits splendides (voir p. 88-89).

Adoration des Mages, l'
Selon la tradition chrétienne, lors de la naissance de Jésus, des « hommes sages », ou Mages, remarquent une nouvelle étoile et la suivent jusqu'à l'Enfant saint. Ils adorent celui-ci et lui offrent de riches présents. Les artistes choisissent en général de montrer trois Mages, en accord avec les trois présents décrits dans la Bible (or, encens et myrrhe), à différents âges et venus de différents pays (voir p. 90).

Allégorie
En art, l'allégorie consiste à représenter des notions complexes ou des significations cachées sous une forme concrète ou matérielle. Ainsi, Vénus (déesse de l'amour) subjuguant Mars (dieu de la guerre) exprime l'idée selon laquelle l'Amour triomphe de la Guerre et donne la Paix (voir p. 74 et 78-79). Ou encore, le Temps soulevant une draperie laisse entrevoir la complexité de l'amour érotique (voir p. 13).

Ancien Testament
Selon la tradition chrétienne, l'Ancien Testament est la partie hébraïque de la Bible composée de textes sacrés canoniques, recueillis par les anciens Israélites (le Tanakh juif).

Annonciation, l'
Selon la tradition chrétienne, un ange du Seigneur vient trouver la Vierge Marie pour lui annoncer qu'elle engendrera un fils nommé Jésus (voir p. 85, 126 et 127).

Antiquité classique
Cette expression renvoie à la période païenne pendant laquelle les civilisations antiques grecque et romaine ont fleuri, de l'époque d'Homère environ (VIIIe siècle av. J.-C.) au IVe siècle, où le christianisme devient la religion officielle de l'Empire romain.

Apollon
Dieu archer et musicien dans la mythologie et le culte gréco-romains. On croyait que la peste était portée par ses flèches.

Apôtre
Selon la tradition chrétienne, l'un des douze disciples rassemblés par le Christ, qui les envoie par la suite prêcher la bonne parole. Le terme « apôtre » peut aussi qualifier des prédicateurs plus tardifs, comme saint Paul.

Baiser de Judas
Selon la tradition chrétienne, Judas Iscariote entreprend d'identifier Jésus auprès des autorités venues l'arrêter en lui donnant un baiser (voir p. 158 et 159, à droite).

Baptême
Selon la tradition chrétienne, immersion cérémonielle dans l'eau (ou application de l'eau). Il a valeur de rite initiatique ou de sacrement de l'Église.

Baroque
Ce style fleurit dans les arts au XVIIe siècle et pendant la première moitié du XVIIIe. Il se caractérise par une vigueur et une énergie émotionnelles, des contrastes marqués entre ténèbres et clarté, une libre facture picturale, des compositions ouvertes ainsi que par un usage répandu des diagonales à la surface des tableaux et pour représenter le recul en profondeur (voir p. 134-147).

Bible, la
Selon la tradition chrétienne, collection d'écrits sacrés comprenant l'Ancien et le Nouveau Testament. C'est le fondement de la religion chrétienne.

Cène, la

Selon la tradition chrétienne, la Cène est le dernier repas que Jésus partage avec ses apôtres avant la Crucifixion (voir p. 128-130 ; voir aussi Eucharistie).

Christ

Jésus de Nazareth, considéré par les chrétiens comme le Christ ou le Messie.

Coran, le

Selon la tradition islamique, texte sacré dicté à Mahomet par l'ange Gabriel. Les musulmans y voient le fondement de la loi, de la religion, de la culture et de la politique (voir p. 102).

Crucifixion, la

Selon la tradition chrétienne, supplice consistant à clouer le condamné à une croix et à l'y laisser jusqu'à ce que mort s'ensuive. Répandu dans la Rome antique, il est infligé à Jésus ; sa représentation artistique, essentielle pour la religion chrétienne, implique souvent la présence de témoins en deuil (voir p. 93-94).

Cubisme

Style pictural élaboré au début du xxe siècle par Picasso et Braque. Rejetant l'idée selon laquelle une image doit imiter la nature, les cubistes entendent dépeindre une structure géométrique sous-jacente, en fracturant les formes naturelles et en effaçant la démarcation entre figure et fond (voir p. 38).

Disciple

Selon la tradition chrétienne, l'une des douze personnes ayant suivi le Christ (voir aussi Apôtre).

Donateur

Personne qui a commandité l'œuvre d'art, parfois représentée (souvent à un format réduit) en prière devant les figures sacrées.

Eucharistie, l'

Selon la tradition chrétienne, pendant la Cène, Jésus donne du pain à ses disciples en disant « Ceci est mon corps », puis du vin en disant « Ceci est mon sang ». Il institue le rite de l'Eucharistie, l'un des sacrements de l'Église (voir p. 130).

Évangiles/Évangélistes

Les Évangiles sont les quatre premiers livres du Nouveau Testament, attribués aux évangélistes Matthieu, Marc, Luc et Jean. Au fondement de la religion chrétienne, ils relatent la vie et les doctrines de Jésus.

Expulsion, l'

Selon la tradition juive, Dieu crée les tout premiers humains, Adam et Ève, et les place dans le jardin d'Éden (le paradis) avec pour seul interdit de ne pas manger le fruit de l'Arbre de la connaissance. Un serpent persuade Ève d'enfreindre l'interdit ; elle-même convainc Adam de l'imiter. Ce péché leur vaut d'être chassés du jardin d'Éden, comme le relate l'Ancien Testament (Genèse 3, 1-24). Les scènes montrant l'ange boutant Adam et Ève hors du paradis renvoient au thème de l'Expulsion.

Impressionnisme

Nom donné à un style pictural élaboré en France au cours du dernier tiers du XIXᵉ siècle. Les impressionnistes travaillent avec de brefs coups de pinceaux et des couleurs vives, juxtaposées pour créer des impressions visuelles frappantes. Ils récusent la finition soignée des peintres académiques de leur temps et travaillent souvent en extérieur ; ils dépeignent la vie contemporaine et visent à un rendu plus naturaliste des effets de lumière (voir p. 25 et 52).

Jean-Baptiste (saint)

Selon la tradition chrétienne, ce prédicateur annonce la venue de Jésus-Christ. Il baptise ceux qui se repentent de leurs péchés, et sait reconnaître Jésus lorsqu'il baptise ce dernier (voir p. 92).

Jean l'Évangéliste (saint)

Selon la tradition chrétienne, l'un des disciples, auteur d'un des évangiles ainsi que d'autres livres du Nouveau Testament.

Jésus

Selon la tradition chrétienne, Jésus de Nazareth est le fils de Dieu, le Messie dont la venue était promise dans l'Ancien Testament. En tant que Christ, il est destiné à racheter le péché originel (voir Expulsion) ; les prophètes de l'Ancien Testament l'ont annoncé comme le Rédempteur (Sauveur).

Judas
Selon la tradition chrétienne, Judas Iscariote est le disciple qui
trahit Jésus (voir p. 158-159).

Lazare
Selon la tradition chrétienne, Jésus ressuscite Lazare quatre jours
après sa mort (voir p. 11).

Livre d'heures
Livre pieux contenant prières, psaumes et lectures, répandu au
Moyen Âge et souvent orné (parfois somptueusement) d'images
(voir p. 51).

Madone, la
Selon la tradition chrétienne, terme honorifique désignant
la Vierge Marie.

Marie
Selon la tradition chrétienne, c'est ainsi que se nomme la mère
de Jésus, appelée aussi la Madone ou la Vierge Marie.

Mars
Dieu de la guerre dans la mythologie de la Rome antique
(voir p. 74 et 78-79).

Martyr
Chrétien qui endure volontairement la mort plutôt que de renier
sa foi (du mot grec pour « témoin », c'est-à-dire ici « attestant sa
religion », voir p. 83 et 121).

Mercure
Messager des dieux dans la mythologie de la Rome antique,
reconnaissable à ses sandales et à son casque ailés (voir p. 76-77).

Miracle des pains et des poissons
Selon la tradition chrétienne, alors que Jésus veut nourrir une
grande foule, il n'a pour le faire que cinq pains et deux poissons
séchés. Mais après qu'il a béni ces maigres provisions, les disciples
réussissent à nourrir cinq mille personnes et il reste encore douze
corbeilles de pain (voir p. 131-132).

Mise au tombeau, la

Selon la tradition chrétienne, la Mise au tombeau, en peinture ou en sculpture, montre les disciples de Jésus déposant son corps dans la tombe après l'avoir descendu de la croix (voir p. 95).

Missel

Livre chrétien de dévotion et de prières.

Mosaïque

Technique visant à composer images ou dessins au moyen de petits morceaux de pierre naturelle ou de verre (voir p. 11, 94 et 133).

Nativité, la

Selon la tradition chrétienne, désigne les images de Jésus nouveau-né (avec sa mère en adoration et parfois d'autres personnages).

Néoclassicisme

Ce mouvement, qui émerge vers le milieu du XVIIIe siècle, entend ressusciter l'art de l'Antiquité classique, notamment celui de la Rome antique. Stimulé par la découverte des sites de Pompéi et d'Herculanum, réagissant contre les excès émotionnels du baroque et la frivolité ornementale du rococo, le style néoclassique se veut sévère dans sa composition et linéaire dans son style, épousant à bien des égards les principes élaborés lors de la Renaissance (voir p. 68 et 146).

Nouveau Testament

Collection d'écrits sacrés pour la religion chrétienne (voir aussi Bible).

Paganisme

Les religions païennes, comme celles des anciens Grecs et Romains, considèrent qu'il existe de nombreux dieux, contrairement aux religions monothéistes des juifs, des chrétiens et des musulmans. Les dieux païens de l'Antiquité classique ont souvent figuré dans l'art des époques ultérieures, de façon symbolique ou allégorique.

Péché originel

Selon la tradition chrétienne, Adam enfreint l'interdit de manger
le fruit de l'Arbre de la connaissance (voir Expulsion) : c'est la cause
du péché originel, c'est-à-dire de la dépravation ou de la tendance
au mal tenues pour innées chez l'homme, qui les tiendrait
du péché d'Adam. L'humanité aurait été sauvée par le sacrifice
de Jésus-Christ (voir p. 85).

Peintures de genre

Peintures dont le sujet s'inspire des scènes de la vie quotidienne
(voir p. 46-57).

Personnification

Consiste à représenter un objet ou une notion abstraite sous
une forme humaine : le Temps devient ainsi un vieillard qui porte
un sablier sur l'épaule droite, la Jalousie une vieille femme
s'arrachant les cheveux (voir p. 13).

Perspective à point de fuite unique

Invention du XVe siècle, qui permet de forger une illusion plausible
de profondeur sur une surface à deux dimensions, en disposant
toutes les lignes de fuite apparemment perpendiculaires
au plan pictural afin qu'elles convergent en un point unique
(voir p. 124-133).

Plan pictural

Surface réelle, à deux dimensions, de la toile. Équivaut au plan
frontal le plus avant de l'espace imaginaire dépeint dans
un tableau.

Renaissance, la

Terme dérivé de l'intérêt nouveau pour les arts et la littérature de
l'Antiquité, qui se manifeste en Italie au XIVe siècle. L'art de la haute
Renaissance (fin du XVe et début du XVIe siècle) se caractérise par un
style linéaire, une forme fermée, une composition répartie sur des
plans parallèles au plan pictural et une multiplicité d'éléments
(voir p. 134-147).

Rencontre de Joachim et d'Anne

Selon la tradition chrétienne, Joachim et Anne, futurs parents de
la Vierge Marie, se retrouvent à la Porte dorée de Jérusalem après
avoir été informés séparément qu'ils vont concevoir l'enfant tant
désiré (voir p. 156-157 et 159, à gauche).

Résurrection, la
Selon la tradition chrétienne, Jésus-Christ se lève d'entre les morts
le troisième jour après sa Crucifixion (voir p. 80 et 96).

Résurrection de Lazare
Voir Lazare.

Rococo
Style dérivé du baroque, mais plus frivole, ornemental et insouciant
(voir p. 147).

Sainte Famille, la
Selon la tradition chrétienne, elle comprend la Vierge Marie,
Joseph (son époux) et l'Enfant Jésus.

Saintes Écritures
Voir Bible.

Surréalisme
Mouvement artistique qui s'épanouit dans les années 1920 et 1930.
Il se caractérise par une fascination pour le bizarre, l'incongru
et l'irrationnel (voir p. 23).

Vénus
Déesse de l'amour et de la beauté dans la mythologie de la Rome
antique (voir p. 13, 74, 76-79, 86 et 144).

Vierge, la
Selon la tradition chrétienne, « la Vierge » qualifie Marie, mère de
Jésus.

Vulcain
Dieu forgeron, époux de Vénus, dans la mythologie de la Rome
antique.

École flamande
*Connaisseurs dans
une pièce décorée
de tableaux*, v. 1620
Huile sur toile,
96 × 123,5 cm
Londres, National
Gallery

Ces connaisseurs
(d'art) se sont
rassemblés pour
savourer livres,
gravures et statues.
Comme nous,
ils aiment à regarder
des images. Ce genre
de tableaux, produits
en abondance à
Anvers au XVIIe siècle,
figuraient souvent
des objets réels
dans des décors
probablement
imaginaires.

LECTURES COMPLÉMENTAIRES

ARCHER, Michael, *L'Art depuis 1960*, Paris, Thames and Hudson, 2004.

ARNHEIM, Rudolf, *Art and Visual Perception : A Psychology of the Creative Eye*, University of California Press, 1974.

BERGER, John, *Ways of Seeing*, Londres, Penguin, 2008.

BOARDMAN, John, *L'Art grec,* Paris, Thames and Hudson, 1988.

CLARK, Kenneth, *Le Nu*, Paris, Le Livre de Poche, 1969.

FARTHING, Stephen (dir.), *Tout sur l'Art : panorama des mouvements et des chefs-d'œuvre*, Paris, Flammarion, 2016.

GOMBRICH, Ernst, *L'Art et son histoire, des origines à nos jours*, Paris, R. Julliard, 1963.

GOMBRICH, Ernst, *L'Art et l'illusion : psychologie de la représentation picturale*, Paris, Gallimard, coll. « Bibliothèque des sciences humaines », 1971.

HOCKNEY, David, et GAYFORD, Martin, *Une histoire des images*, Paris, Solar, 2017.

HONOUR, Hugh, et FLEMING, John, *Histoire mondiale de l'art*, Paris, Bordas, 1964.

HUGHES, Robert, *The Shock of the New*, Londres, Thames and Hudson, 1991.

PANOFSKY, Erwin, *L'Œuvre d'art et sa signification : essai sur les arts visuels*, Paris, Gallimard, 2014.

POINTON, Marcia, *History of Art : A Student's Handbook*, Londres, George Allen and Unwin, 1980.

RAMAGE, Nancy H. et Andrew, *L'Art romain : de Romulus à Constantin*, Könemann, 1999.

ROSKILL, Mark, *What is Art History,* Londres, Thames and Hudson, 1976.

SCHNEIDER ADAMS, Laurie, *The Methodologies of Art : An Introduction*, Londres, Icon Éditions/Harper Collins, 1996.

WÖLFFLIN, Heinrich, *Principes fondamentaux de l'histoire de l'art*, Paris, G. Monfort, 1994.

WOODFORD, Susan, *Images of Myths in Classical Antiquity*, Cambridge, Cambridge University Press, 2003.

INDEX

CRÉDITS PHOTOGRAPHIQUES

(**h** haut ; **b** bas ; **g** gauche ; **d** droite)

2 Musée d'Orsay, Paris ; **4** National Gallery, London, légué par John Staniforth Beckett, 1889 / Scala, Florence ; **8** National Gallery, Londres ; **10** Melba / AGE Fotostock ; **11** De Agostini Editore / A DAGLI ORTI / AGE Fotostock ; **13** National Gallery, Londres ; **14** Metropolitan Museum of Art, New York (George A. Hearn Fund, 1957) / © The Pollock-Krasner Foundation ARS, NY et DACS, Londres 2018 ; **18** Fine Art / Corbis Historical / Getty Images ; **20** Metropolitan Museum of Art, New York (Bequest of Mary Stillman Harkness, 1950) ; **21** Musée d'Orsay, Paris ; **23** Museum of Modern Art, New York. Given anonymously / © Salvador Dalí, Fundacio Gala-Salvador Dalí, DACS, 2018 ; **24** National Gallery, Londres ; **25** Musée Marmottan, Paris ; **26** Tate Gallery, Londres ; **27** Metropolitan Museum of Art, New York (H.O. Havemeyer Collection, bequest of Mrs H.O. Havemeyer, 1929) / Fine Art / Corbis Historical / Getty Images **28** Scottish National Gallery, Édimbourg / Bridgeman Images ; **30** Musée d'Orsay, Paris. Photo RMN-Grand Palais (Musée d'Orsay) / Benoît Touchard / Mathieu Rabeau ; **33h** Historical Museum, Amsterdam ; **33b** Frans Halsmuseum, Haarlem / AGE Fotostock / De Agostini Editore ; **34** Metropolitan Museum of Art, New York (Bequest of Benjamin Altman, 1913) ; **35** Offices, Florence ; **36** Musée d'Orsay, Paris ; **37** Musée du Louvre, Paris / Bridgeman Images ; **38** Pushkin Museum, Moscow / © Succession Picasso / DACS, Londres 2018 ; **39** Metropolitan Museum of Art, New York (The Elisha Whittelsey Collection, The Elisha Whittelsey Fund, 1947) / Photo © Gerald Bloncourt/Bridgeman Images / © Succession Picasso / DACS, Londres 2018 ; **41** De Agostini Editore / AGE Fotostock ; **42** Metropolitan Museum of Art, New York (purchased 1961) ; **44** Musée Condé, Chantilly ; **46** Apsley House, The Wellington Museum, Londres/Bridgeman Images ; **48** The Metropolitan Museum of Art, New York (Rogers Fund, 1919) ; **49** © The Lowry Collection, Salford ; **50** Metropolitan Museum of Art, New York (H.O. Havemeyer Collection, Bequest of Mrs H.O. Havemeyer, 1929) ; **51** Musée Condé, Chantilly ; **52** Phillips Collection, Washington DC ; **53** British Museum, Londres ; **54** Yale University Art Gallery, New Haven, Connecticut. (Gift of Stephen Carlton Clark, 1903) / © Succession Picasso/DACS, Londres 2018 ; **56** Museo Nazionale, Naples ; **57** Musée d'Orsay, Paris ; **58** Museum of Modern Art, New York, don de Mr et Mme David Rockefeller ; **59** Rijksmuseum, Amsterdam ; **60** Albright-Knox Art Gallery, Buffalo. Gift of Seymour H. Knox, Jr, 1963 / © 2018 The Andy Warhol Foundation for the Visual Arts, Inc. / Artists Rights Society (ARS), New York et DACS, Londres ; **61** Metropolitan Museum of Art, New York (Rogers Fund, 1949) ; **62** Museo del Prado, Madrid ; **65** Musée de Bayeux ; **66-67** Musée de Bayeux / irishphoto.com / ALAMY ; **68** Metropolitan Museum of Art, New York (Catherine Lorillard Wolfe Collection, 1931) ; **69** Museo del Prado, Madrid ; **70-71** Museo del Prado, Madrid / © Succession Picasso / DACS, Londres 2018 ; **72** Museo del Prado, Madrid / © Succession Picasso / DACS, Londres 2018 ; **73** Collection particulière / © Succession Picasso / DACS, Londres 2018 ; **74** Palais Pitti, Florence / Bridgeman Images ; **75** Gallerie Nazionale di Capodimonte, Naples ; **76** Metropolitan Museum of Art, New York (Rogers Fund, 1928) ; **77** bpk / Antikensammlung, Staatliche Museen zu Berlin / Ingrid Geske ; **78-79** National Gallery, Londres ; **80** Pinacoteca Civica, Borgo San Sepolcro ; **83** Kunsthistorisches Museum, Vienne ; **85** National Gallery of Art, Washington DC (Samuel H. Kress Collection) **86g** Fresco, S. Maria del Carmine, Florence ; **86d** Musée du Louvre, Paris ; **88-89** Offices, Florence / Bridgeman Images ; **90** Metropolitan Museum of Art, New York (John Stewart Kennedy Fund, 1913) ; **92** Baptistère des Ariens, Ravenne ; **93** Musée Unterlinden, Colmar ; **94** Hervé Champollion / akg-images ; **95** Musées et galeries du Vatican, Rome ; **96** Pinacoteca Civica, Borgo San Sepolcro ; **98** British Library, Londres ; **100** Musée de l'Ermitage, Saint-Pétersbourg / © Succession H. Matisse / DACS 2018 ; **101** Metropolitan Museum of Art, New York (Harris Brisbane Dick et Rogers Fund, 1949) ; **102** Metropolitan Museum of Art, New York (Rogers Fund, 1950) ; **103** British Library, Londres ; **105h** Kunsthaus, Zurich (Gift of Alfred Roth) / © 2018 Mondrian/Holtzman Trust ; **105b** Purchased 1965 © The Josef and Anni Albers Foundation / Tate, Londres / © The Josef and Anni Albers Foundation/ VG Bild-Kunst, Bonn, and DACS, Londres 2018 ; **106** Mugrabi Collection / © Damien Hirst et Science Ltd. All rights reserved, DACS 2018 ; **108** Musée du Louvre, Paris, 2017, DeAgostii Picture Library / Scala, Florence ; **110h** Kunstsammlung Nordrhein-Westfalen, Düsseldorf / © Estate of Roy Lichtenstein/DACS 2018 ; **110b** Collection Museum of Contemporary Art, Chicago (Gift of Claire B. Zeisler) / © ARS, NY et DACS, Londres 2018 ; **112** Musée du Louvre, Paris ; **113** Nahmad Collection, Suisse / © Succession Picasso/ DACS, Londres 2018 ; **114h** Collection particulière, New York / © Succession Picasso/DACS, Londres 2018 ; **114b** Metropolitan Museum of Art, New York (Rogers Fund, 1919) ; **115** Villa Medici, Rome / Alinari / Topfoto.co.uk ; **116** Villa Farnesina, Rome ; **118** Walker Art Gallery, Liverpool ; **119** Iveagh Bequest, Kenwood House, Londres ; **121** National Gallery, Londres ; **122** Villa Farnesina, Rome ; **124** Museo S. Marco, Florence / AGE Fotostock / De Agostini Editore / G. Nimatallah ; **126** Metropolitan Museum of Art, New York (Fletcher Fund, 1925) ; **127** Museo S. Marco, Florence / AGE Fotostock / De Agostini Editore / G. Nimatallah ; **128** Sant'Apollonia, Florence ; **129** S. Maria delle Grazie, Milan ; **130** S. Giorgio Maggiore, Venise / Getty Images / DEA / F. Ferruzzi ; **131** Metropolitan Museum of Art, New York (Francis L. Leland Fund, 1913) ; **132** Metropolitan Museum of Art, New York (Francis L. Leland Fund, 1913) ; **133** S. Apollinare Nuovo, Ravenne / Getty Images / DEA / A. Dagli Orti ; **134** Metropolitan Museum of Art, New York (The Jules Bache Collection, 1949) ; **136** Metropolitan Museum of Art, New York (Gift of J. Pierpont Morgan, 1916) ; **138** Metropolitan Museum of Art, New York (Gift of James Henry Smith, 1902) ; **141h** Musées et galeries du Vatican, Rome ; **141b** Rijksmuseum, Amsterdam ; **142** National Gallery, Londres ; **143** Musée du Louvre, Paris ; **144h** etropolitan Museum of Art, New York (The Jules Bache Collection, 1949) ; **144b** Metropolitan Museum of Art, New York (Gift of Harry Payne Bingham, 1937) ; **146** Musée du Louvre, Paris ; **147** Wallace Collection, Londres ; **148** National Gallery, Londres / World History Archive/ Ann Ronan Collection / AGE Fotostock ; **150** National Gallery, Londres / World History Archive / Ann Ronan Collection / AGE Fotostock ; **152h&b** National Gallery, Londres / DEA / M. Carrieri / AGE Fotostock ; **154** Staatliche Museen, Kassel ; **156** Santa Croce, Florence / DEA / G. Nimatallah / AGE Fotostock ; **157** Chapelle des Scrovegni (Arena), Padoue / Antonio Quattrone / Mondadori Portfolio/AGE Fotostock ; **158** Chapelle des Scrovegni (Arena), Padoue ; **159hg** Chapelle des Scrovegni (Arena), Padoue / Antonio Quattrone / Mondadori Portfolio/AGE Fotostock ; **159hd** Chapelle des Scrovegni (Arena), Padoue ; **160** Rijksmuseum, Amsterdam ; **161** Staatliche Museen, Kassel ; **170-171** National Gallery, London, bequeathed by John Staniforth Beckett, 1889/Scala, Florence.

-

Pour Peter, qui sait voir au-delà des couches.

-

Première édition publiée
en anglais au Royaume-Uni
en 1983 par Cambridge
University Press
Nouvelle édition publiée
en 2018 par
Thames & Hudson Ltd,
181A High Holborn,
London WC1V 7QX

Looking at Pictures © 2018
Thames & Hudson Ltd,
London
Textes © 1983, 2018
Susan Woodford

Version française
© Flammarion, Paris, 2018
Première édition publiée
en français en France en
2018 par Flammarion, Paris

FLAMMARION
Directrice éditoriale
Julie Rouart

**Responsable de
l'administration éditoriale**
Delphine Montagne

Éditrice
Mélanie Puchault, assistée
de Pascaline Boucharinc

Traduction
Camille Fort

Relecture
Colette Malandain

Mise en pages
Adèle Pasquet

Couverture : Katsushika Hokusai, *La Grande Vague de Kanagawa*, 1830-1832, New York, Metropolitan Museum of Art (H.O. Havemeyer Collection, bequest of Mrs H.O. Havemeyer, 1929) © Fine Art /Corbis Historical / Getty Images

Page de titre : Vincent Van Gogh, *L'Église d'Auvers-sur-Oise*, 1890 (détail de la page 21), Paris, musée d'Orsay

Page 8 : École flamande, *Connaisseurs dans une pièce décorée de tableaux*, v. 1620 (détail des pages 162-163), Londres, National Gallery

Ouvertures des chapitres : page 10 Le Bronzino, *Allégorie avec Vénus et Cupidon*, v. 1545 (détail de la page 13), Londres, National Gallery ; **page 30** Jean Clouet, *François Ier*, v. 1530 (détail de la page 36), Paris, musée du Louvre ; **page 44** Les Frères Limbourg, *Février*, extrait des *Très Riches Heures du duc de Berry*, 1413-1416 (détail de la page 51), Chantilly, musée Condé ; **page 62** Francisco de Goya, *El Tres de mayo*, 1814 (détail de la page 69), Madrid, musée du Prado ; **page 80** Piero della Francesca, *La Résurrection*, v. 1463 (détail de la page 97), Borgo San Sepolcro, Pinacoteca Civica ; **page 98** Page tirée des Évangiles de Lindisfarne, v. 700-721 (détail de la page 103), Londres, British Library ; **page 108** Édouard Manet, *Le Déjeuner sur l'herbe*, 1863 (détail de la page 112), Paris, musée d'Orsay ; **page 116** Raphaël, *Galatée*, v. 1514 (détail de la page 122), Rome, Villa Farnesina ; **page 124** Fra Angelico, *L'Annonciation*, v. 1440-1450 (détail de la page 127), Florence, couvent San Marco ; **page 134** Titien, *Vénus et Adonis*, v. 1553 (détail de la page 145), New York, Metropolitan Museum of Art ; **page 148** Jan Van Eyck, *Les Époux Arnolfini*, 1434 (détail de la page 150), Londres, National Gallery ; **page 154** Rembrandt, *Jacob bénissant les fils de Joseph*, 1656 (détail de la page 161), Kassel, Staatliche Museen Kassel

Citation page 107 : Damien Hirst et Gordon Burn, *On the Way to Work*, Faber & Faber, Londres, 2001, p. 90

ISBN : 9782081425347
L.01EBUN000652.A003
Dépôt légal : septembre 2018
Achevé d'imprimer en Chine en 2020